Larousse découvrir le monde animal

C. Cova

oiseaux des tropiques

traduit de l'italien par Huguette Tupin

Larousse

17, rue du Montparnasse, 75006 Paris

L'édition française de cet ouvrage
a été réalisée par Claude Schaeffner
assisté d'Anke Hérubel
conseiller scientifique : Michel Cuisin
conseiller typographique : Serge Kristy

L'édition originale du présent ouvrage
a été publiée sous le titre
Gli uccelli tropicali, par Carlo Cova.

ISBN 2-03-018606-6, collection ISBN 2-03-018600-7

Une résidence chaude, chaude, chaude...

Au sein de la vaste faune tropicale aux formes diverses, les oiseaux sont les animaux les plus propres à exciter l'imagination ou l'envie de l'homme qui a toujours cherché à se les approprier. Il suffit de penser aux perroquets bariolés ou plus simplement aux poules domestiques qui à l'origine faisaient partie des « étranges et extraordinaires » oiseaux tropicaux.

Étranges et extraordinaires, en effet, car les oiseaux tropicaux se distinguent de leurs congénères par certains traits caractéristiques. Ils sont en général très colorés et leur plumage prend des teintes et des formes que l'on ne rencontre pas dans les autres groupes d'oiseaux. Leurs becs ont souvent les formes les plus étranges, un peu comme si la nature avait voulu s'amuser. Par contre, peu d'oiseaux tropicaux ont une voix mélodieuse (du moins à l'oreille de l'homme), car le chant ne leur est pas habituellement nécessaire. Un autre trait caractéristique des oiseaux des régions chaudes du globe est la sédentarité, c'est-à-dire l'absence de cette impulsion qui pousse les oiseaux des régions tempérées et arctiques à migrer de l'hémisphère nord vers l'hémisphère sud et vice versa, pour jouir d'un éternel soleil. Migrer est absolument inutile pour les oiseaux tropicaux car la vie de la forêt est confortable en toutes saisons, bien qu'elle ne soit pas totalement dépourvue d'incertitudes et de dangers.

Si l'on considère que dans l'immensité de l'Union soviétique vivent près de 720 espèces d'oiseaux, que l'on en trouve un peu moins aux États-Unis (645), et que dans ces deux pays la végétation va de

La végétation des forêts tropicales est tellement luxuriante qu'on pourrait penser qu'elle n'est qu'un produit de l'imagination. Elle est pourtant bien réelle, telle que l'ont décrite les explorateurs et les naturalistes. Et si l'homme ne peut y vivre à cause de la chaleur suffocante et du très haut degré d'humidité, certaines espèces de plantes et d'animaux y trouvent leur paradis.

Forêts pluviales tropicales

Savanes boisées

Steppes et prairies

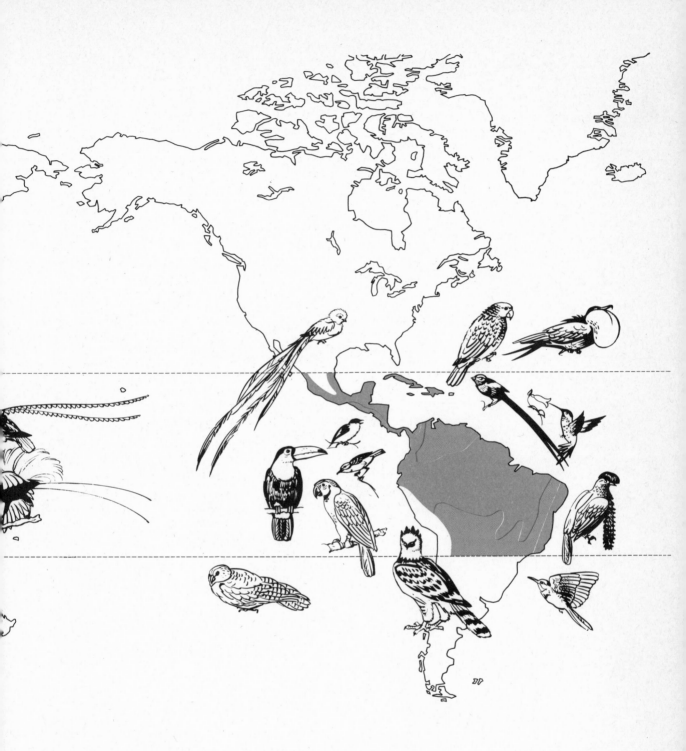

La zone tropicale est comprise entre le
Tropique du Cancer au nord de
l'Équateur et le Tropique du
Capricorne au sud. On peut voir
très nettement sur la carte les parties
des différents continents qu'elle
recouvre. Seule l'Europe est exclue de
ce banquet particulièrement riche. Le
continent qui se taille la part du lion
est l'Afrique, située presque en totalité
entre les tropiques. Mais l'Amérique du
Sud s'en taille également une bonne
part avec plus des trois quarts du
Brésil et une immense forêt
verdoyante en partie encore
inexplorée. L'Asie du Sud et l'Australie
du Nord présentent des zones
tropicales moins vastes mais toujours
évocatrices, couvrant près de la moitié
de leur surface totale.

la toundra arctique aux broussailles toujours vertes de type méditerranéen, il n'est pas difficile d'imaginer quelles énormes différences écologiques existent entre ces deux très vastes pays et les régions d'Amérique centrale et du Sud qui peuvent s'enorgueillir d'abriter plus de 2 900 espèces.

En vérité, la région tropicale du Nouveau Monde est considérablement étendue. Le Tropique du Cancer coupe le Mexique en deux et effleure la Floride qui possède des milieux à nette tendance tropicale, comme les grandes et petites îles du golfe du Mexique et de la mer des Caraïbes. Le Tropique du Capricorne, quant à lui, traverse le Paraguay et touche l'Argentine et le Chili. Sont donc inclus dans les régions tropicales tout le nord de l'Amérique du Sud ainsi que l'ensemble du Brésil.

Cette partie du monde est en outre parcourue par la cordillère des Andes, longue et célèbre chaîne de montagnes dont les deux versants jouissent de climats très différents. En effet, du côté Pacifique d'où viennent les vents dominants, les montagnes et même les régions maritimes sont plutôt arides. Il n'en est pas de même de l'immense bassin de l'Amazone qui contient la plus vaste forêt pluviale du monde (près de 2 500 000 km²). Depuis le Mato Grosso jusqu'à l'Orénoque, depuis la Colombie jusqu'à la ville brésilienne de Recife sur l'Atlantique, s'étend une immense forêt verdoyante, en partie encore inexplorée, où vivent des milliers d'espèces animales et de très nombreux oiseaux tropicaux.

Ce sont en général des oiseaux de taille moyenne, mais différenciés en un très grand nombre d'espèces, comme par exemple les quelque 365 espèces de Tyrannidés. Les guacharos, les toucans, les trogons, les todiers, les manakins, les Cotingidés, les Mimidés et les tangaras sont d'autres oiseaux très particuliers. La famille des Formicariidés, qui, comme leur nom l'indique, se consacrent avec acharnement à la capture des insectes vivant dans les forêts, est elle aussi importante avec ses 221 espèces. Le groupe des Colibris,

Dans les forêts tropicales, la chaleur humide favorise la croissance d'arbres gigantesques pouvant atteindre 40 à 50 mètres, le développement d'arbres plus bas et la présence de plantes encore plus petites. Il n'y manque même pas une strate d'arbustes correspondant à notre sous-bois.

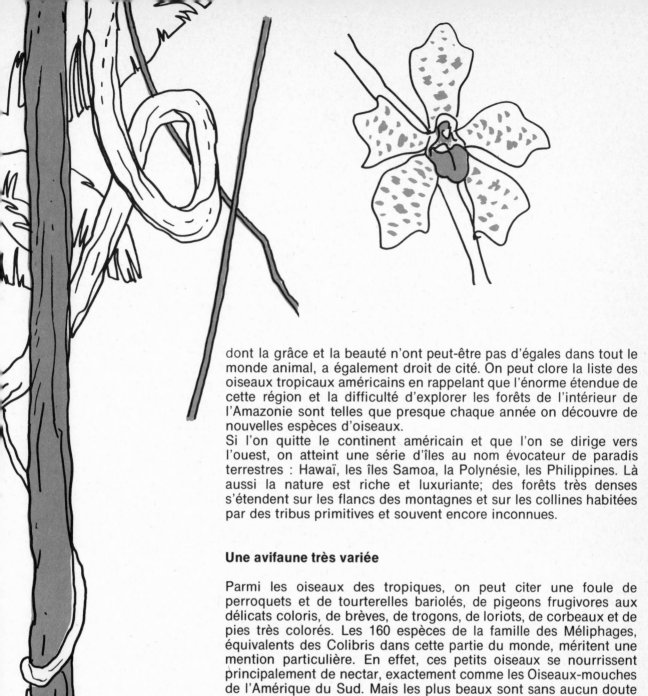

dont la grâce et la beauté n'ont peut-être pas d'égales dans tout le monde animal, a également droit de cité. On peut clore la liste des oiseaux tropicaux américains en rappelant que l'énorme étendue de cette région et la difficulté d'explorer les forêts de l'intérieur de l'Amazonie sont telles que presque chaque année on découvre de nouvelles espèces d'oiseaux.

Si l'on quitte le continent américain et que l'on se dirige vers l'ouest, on atteint une série d'îles au nom évocateur de paradis terrestres : Hawaï, les îles Samoa, la Polynésie, les Philippines. Là aussi la nature est riche et luxuriante; des forêts très denses s'étendent sur les flancs des montagnes et sur les collines habitées par des tribus primitives et souvent encore inconnues.

Une avifaune très variée

Parmi les oiseaux des tropiques, on peut citer une foule de perroquets et de tourterelles bariolés, de pigeons frugivores aux délicats coloris, de brèves, de trogons, de loriots, de corbeaux et de pies très colorés. Les 160 espèces de la famille des Méliphages, équivalents des Colibris dans cette partie du monde, méritent une mention particulière. En effet, ces petits oiseaux se nourrissent principalement de nectar, exactement comme les Oiseaux-mouches de l'Amérique du Sud. Mais les plus beaux sont sans aucun doute les Oiseaux de paradis qui, précisément à cause de leurs magnifiques plumes bariolées, ont failli être complètement exterminés.

La région tropicale du Pacifique comprend également la partie septentrionale de l'Australie et la Nouvelle-Guinée. Y vivent certaines espèces uniques comme les Oiseaux-jardiniers et les Tallégales.

La région tropicale asiatique comprend près de la moitié de l'Inde, l'Indochine, une portion relativement petite de la Chine méridionale, ainsi que les îles de Java, Sumatra, Bornéo et des dizaines de petites îles qui les entourent. Il s'agit d'une partie du monde nettement surpeuplée où les forêts et les savanes originelles ont été souvent remplacées par des cultures. Malgré cela, il existe encore des forêts assez vastes pour abriter des animaux de toutes sortes, depuis les plus gros comme les Éléphants, jusqu'aux plus petits comme les insectes. Les oiseaux y sont très nombreux : la zone

Le sol de la forêt tropicale est marécageux et presque toujours inondé. C'est pourquoi de nombreux végétaux préfèrent rester « suspendus » et vivre en parasites aux dépens de plantes-hôtes, ainsi les lianes et les orchidées.

tropicale asiatique est en effet la patrie des faisans et coqs sauvages, des gros paons et de toute une série de Galliformes comme les Cailles arlequin, les perdrix, les tragopans, les lophophores, etc.

Les espèces de perroquets, de pics, de coucous, de brèves sont nombreuses et de couleurs variées. Parmi les oiseaux plus petits, les timalies, les bulbuls et les gobe-mouches aux couleurs éblouissantes sont aussi dignes d'intérêt. Rappelons encore les Nectariniidés qui, comme leur nom l'indique, se nourrissent du nectar, de la même façon que les colibris.

Nombreuses sont les espèces de cette région chaude qui sont très recherchées comme oiseaux de cage ou de volière. À part les faisans (parmi lesquels le très célèbre Faisan de chasse bien connu des chasseurs occidentaux), toute une série de petits Passériformes comme les Bengalis de l'Inde, le Padda, le Domino, etc. font couramment l'objet d'un commerce.

Dans la péninsule arabique, au sud du Tropique du Cancer, on trouve des terres presque totalement désertiques où la faune est sensiblement différente de celle des régions de forêts denses et de bois. Dans ce milieu vivent quelques rares espèces d'oiseaux, par exemple certaines perdrix, certaines tourterelles et les gangas, oiseaux ressemblant aux pigeons mais qui se sont adaptés à la vie dans le désert.

En traversant la mer Rouge, on pénètre au cœur de l'Afrique. Sur ce continent vaste et «compact», la région tropicale s'étend de l'Égypte à l'Afrique du Sud, c'est-à-dire qu'elle comprend pratiquement toute l'Afrique au sud du Sahara. Ici, plus qu'ailleurs peut-être, les zones de végétation sont diversifiées. À l'énorme et mystérieuse forêt pluviale du bassin du Congo succède une très vaste région de brousse plus ou moins aride, que l'on appelle steppe ou savane boisée, domaine d'une faune extraordinaire.

Beaucoup des oiseaux de ces régions sont répandus ailleurs dans le monde, comme les perroquets, les pics, les coucous, les Corvidés, les bulbuls, les pies-grièches, les Sturnidés et les Nectariniidés semblables à ceux qui vivent en Asie. Les calaos au bec disproportionné sont également communs aux deux continents et font concurrence, en ce qui concerne leur curieux appendice, aux toucans colorés d'Amérique. Les Colious à nuque bleue sont au contraire exclusivement africains. Plusieurs des oiseaux tropicaux africains sont considérés depuis fort longtemps comme des amis de l'homme : il suffit de citer entre autres le célèbre canari, originaire des îles Canaries, qui a de nombreux parents proches dans diverses parties d'Afrique, par exemple le «canari» d'Afrique du Sud qui appartient cependant à une espèce différente de celle connue en Europe, plus terne, mais qui chante tout aussi bien.

Un autre groupe extrêmement original d'oiseaux africains est sans doute celui des indicateurs. Il s'agit de petits oiseaux à la livrée peu voyante et aux mœurs parasites en ce qui concerne la couvaison de leurs œufs. Mais ce qui les caractérise le plus est le fait qu'ils se nourrissent de cire d'abeille. Pour y parvenir, les indicateurs attirent de leurs cris et de leur vol l'attention d'un animal friand de miel comme le ratel, sorte de blaireau africain, qu'ils guident infailliblement vers un nid d'abeilles sauvages. Il y a longtemps que les indicateurs ont appris à «se servir» de l'homme lui-même dans ce but. Les indigènes réussissent grâce à eux à découvrir sans peine les rayons de miel, mais ils n'oublient pas d'en laisser un peu pour l'ingénieux petit oiseau en signe de remerciement.

Conditions d'existence

La vie dans les forêts tropicales n'est pas particulièrement facile pour l'homme, mais au cours des millénaires les animaux ont modifié leur structure et leur mode de vie, créant souvent des formes nouvelles et s'adaptant admirablement.

Le premier aspect important de cet habitat est justement le climat. À une chaleur torride et permanente vient s'ajouter une pluviosité tout aussi continuelle. Pour s'en faire une idée il suffit de penser que la quantité de pluie qui tombe dans ces régions est double ou triple de celle que l'on observe dans les régions montagneuses et les collines des pays tempérés européens où il pleut déjà beaucoup. Ce climat chaud et humide favorise la croissance d'une grande variété d'arbres gigantesques pouvant atteindre jusqu'à 40 ou 50 mètres de hauteur, et dont le sommet forme une sorte de tapis vert, suspendu dans le vide comme un dais. La voûte des arbres de la forêt tropicale est un monde peuplé d'oiseaux, de papillons, de singes qui profitent du soleil filtrant à travers les frondaisons et se nourrissent de fruits et d'insectes. Au-dessus, volent sans interruption des martinets et des oiseaux de proie.

Si l'on observe d'un avion la voûte verte interminable qui semble recouvrir la forêt pluviale, on s'aperçoit qu'entre un géant et l'autre poussent des arbres plus petits et qu'au dessous prospère encore un troisième groupe de végétaux tirant parti de ce qui reste d'air et de sol. Remplaçant notre sous-bois, il ne manque même pas une couche — si l'on peut parler ainsi — de buissons ou d'arbustes. Le sol lui-même n'est pas obligatoirement dur et sec. Il est souvent marécageux et inondé en permanence. Dans ces conditions, beaucoup de végétaux « ne descendent pas à terre », d'où le très grand nombre de plantes parasites. Les très belles orchidées, les Broméliacées charnues et un nombre infini de lianes vivent aux dépens des arbres sans que leurs racines aient besoin de toucher le sol.

Quand les conditions climatiques sont plus mauvaises, du fait de l'absence de pluies à des périodes fixes, c'est la savane qui s'installe, épais tapis de plantes herbacées et vastes étendues de buissons d'où émergent des arbres différents selon les continents : acacias épineux et baobab en Afrique, arbres-bouteilles et eucalyptus en Australie, kapok, cactus et euphorbes en Amérique.

On peut observer dans la forêt tropicale des mœurs très différentes. Certains oiseaux par exemple vivent toujours sur le sol de la forêt, telles les Brèves (ci-dessous) et le Ménure *superbe (en haut).*

Mais la situation n'est pas toujours aussi clairement définie. Fréquemment et presque partout, la main de l'homme est parvenue à modifier de façon sensible l'équilibre naturel. Le besoin de terres nouvelles à cultiver, ou plus simplement la richesse de bois précieux à exploiter (teck, acajou, ébène, noyer africain, etc.) ont conduit à la destruction de nombreuses portions de la forêt vierge. Dans ces cas-là, renaît assez rapidement une forêt « secondaire », très différente de la forêt primitive, mais peut-être plus hospitalière pour les animaux, et les oiseaux en particulier, car elle est moins dense et comporte davantage de petits arbres et de buissons.

Là où les conditions climatiques sont plus défavorables et où la pluie n'est pas assez fréquente pour permettre le développement de la forêt, s'installe ce que l'on appelle d'une manière générale la savane. La végétation de la savane sait résister à des conditions climatiques bien plus rudes que les arbres de la forêt, car les pluies n'y tombent qu'à des époques déterminées de l'année — il peut même ne pas pleuvoir pendant près de 8 mois (du moins dans certaines parties de l'Afrique).

À côté d'un épais tapis de plantes herbacées, on trouve de vastes étendues couvertes de buissons, généralement épineux, avec des arbres isolés qui diffèrent considérablement d'un continent à l'autre. En Afrique, par exemple, les palmiers, les acacias épineux à la forme classique en ombrelle, et l'imposant baobab sont très communs. En Australie, en dehors des arbres-bouteilles, ainsi nommés du fait du renflement du tronc à mi-hauteur, on trouve couramment des eucalyptus. En Amérique du Sud, au contraire, outre de très beaux et imposants palmiers, on rencontre le kapokier et toute une série de plantes dites grasses, c'est-à-dire cactus et euphorbes aux formes étranges dont les feuilles traditionnelles sont remplacées par des aiguilles et des épines. Ces régions sont appelées « campos » dans la partie méridionale de l'Amérique du Sud et « llanos » au Nord. Là où les précipitations sont au contraire assez importantes, on rencontre de vastes zones inondables qui

Les Formicariidés présentent un aspect particulier de la vie dans les parties basses de la forêt. Quand les fourmis légionnaires qui ont atteint leur développement maximum avancent comme un torrent de lave vivant, les Formicariidés se jettent à corps perdu dans cette masse grouillante d'insectes et en détruisent une grande partie.

transforment la savane boisée et la plaine prend alors le nom de « pantanal ». Évidemment il existe en Inde et en Océanie des formations semblables à la savane boisée.

Dans les régions où la main de l'homme est intervenue moins lourdement, les formations de savanes, toujours typiques des tropiques, abritent une grande variété d'animaux du fait des importantes différences écologiques que l'on y constate. Lorsque la sécheresse devient totale, les arbres ne poussent plus du tout : une sorte de steppe aride, où seuls buissons et herbes peuvent résister, succède à la savane, suivie graduellement par des formes plus ou moins rigoureuses de déserts.

C'est ainsi qu'a été déterminée, ou mieux favorisée, l'extension de formations désertiques en Afrique (Côte des Somalis et désert du Kalahari), en Australie (dans toute la partie centrale) et en Arabie.

Dans ces conditions ambiantes particulières, la vie animale s'est répandue et différenciée de façon fort curieuse, et l'on peut affirmer que, dans les pays tropicaux, la nature est bizarre. On y trouve en effet des papillons bien plus gros que des oiseaux et capables même de les attaquer, des poissons qui peuvent dévorer un bœuf, des reptiles qui volent et des oiseaux qui ne volent jamais, des grenouilles venimeuses, des serpents et des araignées à la morsure mortelle.

Les oiseaux eux-mêmes n'ont pas été oubliés dans cet extraordinaire festival de formes, de couleurs et surtout de mœurs. La forêt originelle comme la forêt secondaire offrent en effet aux oiseaux tout ce qu'ils peuvent souhaiter du milieu qu'ils habitent en permanence.

Certains oiseaux passent toute leur vie sur « le sol » de la forêt, et c'est là aussi qu'ils font leur nid. Tel est le cas des brèves, des tapaculos, des ménures superbes et des faisans ; cependant le comportement de défense de ces derniers consiste à rester à terre pendant le jour et à se percher sur les arbres pour dormir, échappant ainsi à un grand nombre d'ennemis sournois.

Les pics se sont parfaitement adaptés à la vie sur les troncs d'arbres. Leurs pattes ont 2 doigts dirigés vers l'avant et 2 vers l'arrière, ce qui leur permet une prise parfaite. En outre, ils peuvent prendre appui sur leur queue pour grimper plus sûrement.

À peine plus haut, au sens littéral, vivent les oiseaux des buissons : certains gobe-mouches, les manakins, les Tyrannidés et même les colibris. Les oiseaux de ce groupe sont presque tous des insectivores. L'un des aspects particuliers de la vie dans les parties basses de la forêt est celui des oiseaux qui suivent les mouvements des fourmis légionnaires, l'un des plus étonnants groupes d'insectes tropicaux. Ces fourmis ont pour habitude de se reproduire en n'importe quel endroit de la forêt ; dès que leur population a atteint son plus grand développement, elles se déplacent comme un torrent de lave vivante, renversant et mettant en miettes tout ce qui est comestible sur leur passage. On parle même de cases d'indigènes envahies par ces hordes affamées. Naturellement, tous les animaux qui le peuvent, grands ou petits, cherchent à fuir devant un ennemi aussi implacable. Par contre, les Formicariidés, qui sont des oiseaux de taille moyenne au bec robuste, se lancent à corps perdu dans cette masse grouillante d'insectes et en détruisent un très grand nombre.

D'autres oiseaux tropicaux ont des mœurs opposées à celles des faisans : ils restent au contraire presque tout le jour sur les arbres où ils nichent, mais se nourrissent le plus souvent au sol. Les pigeons, les tourterelles, les corbeaux, les pies, les grives, par exemple, entrent dans cette catégorie.

Des spécialistes

Les oiseaux des tropiques qui vivent en permanence sur les troncs des arbres présentent des caractéristiques très particulières. Leur morphologie, profondément modifiée, leur permet de se déplacer verticalement le long des troncs d'arbres et des branches, sans qu'il leur soit nécessaire ou plus facile de voler. En général tous ces oiseaux ont 2 doigts dirigés vers l'avant et 2 vers l'arrière, de façon à prendre solidement appui sur l'écorce quand ils grimpent. Cette particularité se retrouve, par exemple, chez les pics et les perroquets. En outre, les pics s'aident de leur queue pour rester fixés aux troncs tandis que les perroquets se servent parfois de leur bec comme d'un doigt supplémentaire pour grimper.

Les pics sont sans aucun doute les oiseaux tropicaux qui ont la structure la plus profondément modifiée en fonction de leur vie arboricole. Aux transformations structurelles des pattes et de la queue, viennent s'ajouter un bec et une boîte crânienne très durs. Taper du bec à une cadence très rapide contre le bois le plus dur, jusqu'à y creuser un trou, représente une entreprise impossible pour les autres oiseaux : les pics profitent de cette extraordinaire faculté tant pour construire leur nid dans le tronc des arbres que pour y rechercher les larves xylophages, c'est-à-dire qui se nourrissent du bois, dont ils sont friands. Si un petit trou dans le bois est insuffisant pour dénicher ces chenilles, le pic peut y faire pénétrer sa langue, particulièrement longue, et la manœuvrer comme un dard à l'intérieur de la galerie creusée par la larve dans le bois pourri. La pointe de cette langue est en outre munie de petites soies qui peuvent saisir n'importe quelle proie, même la plus visqueuse. On retrouve également une langue « poilue » chez les toucans, qui sont en fait de proches parents des pics.

En ce qui concerne les toucans et les calaos, dotés d'un bec plus que disproportionné, il est intéressant d'observer la manière dont ils s'en servent et comment ils le nettoient toujours parfaitement,

Les toucans et les calaos se servent de leur bec avec élégance. Mais surtout ils le nettoient en permanence. Toujours de leur bec, ils tapent la proie qu'ils ont prise contre une branche pour être sûrs qu'elle est morte. Enfin, ils la lancent dans les airs et la saisissent au vol.

surtout les toucans. Ces oiseaux à l'aspect si curieux ont la manie de jeter la nourriture dans les airs puis de la saisir au vol. En outre, lorsqu'ils capturent un insecte, ils le frappent violemment contre une branche s'assurant ainsi qu'il est bien mort avant de l'avaler.

Parmi les oiseaux de la forêt qui ne se posent jamais ou presque jamais sur le sol pour se nourrir, on peut citer les pies-grièches, les gobe-mouches et les colibris. Les pies-grièches et les gobe-mouches chassent de la façon qu'ont également adoptée les très beaux rolliers. Ces oiseaux restent bien en vue sur une branche d'arbre jusqu'à ce qu'ils aperçoivent une sauterelle en vol ou un papillon, ou tout autre insecte ailé. D'un glissement élégant, ils se détachent alors de la branche, rejoignent infailliblement leur proie, et retournent se percher à l'endroit qu'ils viennent de quitter, ou pas très loin.

L'aptitude du colibri à rester immobile dans les airs est bien connue, mais d'autres oiseaux, les Nectariniidés et certains faucons, sont eux aussi en mesure de le faire. Ce qui est par contre tout à fait extraordinaire, c'est que le colibri puisse voler à reculons! Cela semblait tellement invraisemblable que les savants en doutèrent jusqu'à ce que les prises de vues cinématographiques réussissent à le prouver de manière irréfutable. Beaucoup de colibris ont un très long bec recourbé qui leur permet d'atteindre le fond des corolles des fleurs les plus minces. Dans les forêts tropicales poussent cependant des fleurs si grandes que même le bec d'un colibri ne peut en atteindre le fond. C'est pourquoi ces oiseaux creusent à la base de la corolle pour parvenir plus rapidement à leurs fins.

Parmi les oiseaux de la forêt qui ne se posent jamais ou presque jamais à terre, on trouve les colibris qui possèdent une caractéristique très particulière : ils savent voler à reculons. On en a douté jusqu'à ce que les prises de vues de cinéma soient venues le confirmer. Les colibris volent en avant, en arrière, vers le haut, vers le bas, exécutant lorsque cela est nécessaire une sorte de marche arrière qui ne cesse de surprendre.

Les Nectariniidés (qui comme les colibris peuvent rester immobiles dans les airs) ont, eux aussi, l'habitude de percer les corolles des fleurs pour en atteindre le nectar ; ils l'aspirent facilement grâce à leur langue singulière, formée de deux canaux se séparant en plusieurs lobes à son extrémité.

D'autres oiseaux tropicaux, en particulier les Fringillidés, se nourrissent de boutons de fleurs et de bourgeons et causent de sérieux dommages aux arbres fruitiers.

Une curieuse occasion de festin est offerte de façon saisonnière ou tout à fait exceptionnellement aux oiseaux de la savane lors des feux de brousse provoqués par les indigènes ou par la foudre. La destruction des herbes sèches a pour conséquence immédiate la fuite d'une multitude d'insectes. Ce fait n'échappe pas à l'attention des oiseaux qui en profitent pour se procurer facilement beaucoup de nourriture. Devant les flammes, s'agitent de grandes nuées d'oiseaux, depuis les gros calaos jusqu'aux guêpiers aux vives couleurs, aux outardes, etc. Participent aussi à ce banquet les gros oiseaux de la savane, tels les grues, les cigognes et les marabouts qui capturent des reptiles et des batraciens ; les grands oiseaux de proie, à leur tour, trouvent une multitude de victimes en puissance à portée de bec et de griffes.

Dans les régions tropicales, les oiseaux nocturnes ne manquent évidemment pas ; ceux-ci, à la faveur des ténèbres, circulent dans la forêt et la savane en quête de nourriture. On peut inclure dans cette catégorie les engoulevents ou tête-chèvres, oiseaux à la longue queue et aux ailes semblables à celles des hirondelles qui, en dépit de leur nom, n'ont rien à voir avec les chèvres. Ces oiseaux errent au crépuscule ou au plus profond de la nuit parmi les arbres, capturant dans leur vaste gosier les phalènes et autres insectes volants.

Un paradis souvent dangereux

Dans le monde vaste et varié des animaux, seuls les oiseaux et les papillons arborent des livrées présentant une gamme de coloris aussi étendue. Chez les oiseaux tropicaux plus précisément, les couleurs des plumes proviennent de pigments de nature chimique contenus dans les barbes auxquelles ils donnent des coloris divers. L'incidence de la lumière et la structure des barbes sont responsables des colorations irisées et font que l'œil humain voit un oiseau parfois vert, parfois bleu, parfois rouge cramoisi. Chez certains oiseaux, la combinaison des deux phénomènes et une disposition différente des plumes sur le corps donnent des effets de couleur des plus surprenants. On peut observer cette extraordinaire diversité en particulier chez les oiseaux de paradis et chez différentes espèces de brèves.

Le bleu métallique semble être la couleur irisée la plus courante, mais chaque groupe d'oiseaux tropicaux présente des colorations différentes en fonction de la famille à laquelle il appartient. On rencontre par exemple chez les petits colibris, en plus d'un plumage extrêmement coloré, un fort pourcentage de couleurs d'origine physique. Par contre, les pigeons frugivores présentent des tons fumés très délicats. Les perroquets et les toucans sont eux aussi vivement colorés. Le Toucan à bec caréné, par exemple, a un plumage en partie noir, mais avec différentes nuances de rouge, blanc, vert et jaune, et son gros bec, pour ne pas faire mauvaise

Les plumes de la queue sont souvent très longues et resplendissantes chez les oiseaux tropicaux. On peut citer entre autres le Faisan de Lady Amherst, encore appelé « faisan fleuri » par les Chinois. Des queues d'une telle splendeur servent à « enchanter » les femelles pendant la lente et spectaculaire parade nuptiale.

figure, est vert, rouge, bleu et orange. L'Ara macao arbore des plumes rouge vif tirant sur l'orange et le jaune, mais est aussi par endroits bleu, vert, blanc et noir.

On pourrait faire une comparaison intéressante avec les oiseaux qui ont des parents proches sous nos latitudes. Les pies et les brèves qui vivent en Amérique du Sud, en Asie et en Afrique ont une livrée bleu très vif ou vert, ou de trois ou quatre tons mêlés, tandis que les espèces européennes ont un plumage beaucoup moins voyant.

À la gamme de couleurs vives viennent s'ajouter les plus curieuses et bizarres dispositions des plumes. Dans ce domaine, le prix d'extravagance est certainement détenu par les oiseaux de paradis qui parfois se transforment, à tel point qu'ils ne semblent même plus être des oiseaux. Certaines espèces de colibris, pour leur part, ressemblent souvent, avec leur bec, leur queue et leur huppe, à des fleurs bizarres plutôt qu'à des animaux.

On ne peut clore cette énumération des plumages fascinants sans parler du Quetzal, oiseau sacré des Mayas et des Aztèques. Sa solennelle beauté lui a valu en effet d'être considéré comme une véritable divinité à qui l'on rendait un culte appelé Quetzalcoatl.

Outre l'extraordinaire variété et beauté de leur plumage, les oiseaux des tropiques présentent donc souvent des formes très bizarres. Certaines espèces ont une très longue queue disproportionnée. Parmi tous les oiseaux qui vivent dans les zones tempérées du globe, deux seulement ont une longue queue qui n'atteint pourtant pas 50 p. 100 de leur longueur totale. Sous les tropiques, au contraire, sont véritablement légion, les oiseaux dont les plumes rectrices (c'est ainsi que l'on nomme les plumes de la queue) sont allongées. Le Faisan vénéré d'Asie, par exemple, a une queue double de son corps, mais les Paons, l'Argus et l'Éperonnier ont eux aussi des queues extraordinaires, aussi bien par leurs dimensions que par la variété et le brillant de leurs coloris. Il faudrait une page entière pour décrire une seule plume. La nature a du reste attribué un rôle précis à ces superbes queues, celui d'« enchanter » les femelles pendant les parades nuptiales. Plusieurs espèces de perroquets ont également une queue exceptionnellement longue et colorée, surtout les gros Aras américains à queue rouge, verte ou bleu intense.

Parmi les oiseaux de plus petite taille, mais à la queue proportionnellement bien plus longue que le corps, on compte le Sylphe à queue verte, le Colibri à tête noire, le Loddigésie admirable, et des gobe-mouches tropicaux. La Veuve de paradis se détache parmi les

Ci-dessus : les gros aras américains ont eux aussi une queue exceptionnellement longue où ressortent les couleurs rouge, vert et bleu foncé.
Ci-dessous : le Faisan vénéré exhibe une queue de 1,50 mètre sur une longueur totale de 2,40 mètres environ.
Page ci-contre, en haut : en dépit de sa très longue et très belle queue, le Quetzal mâle n'hésite pas à remplacer la femelle pour couver les œufs.

Passériformes africains par sa très longue queue noire faite de grandes plumes qui semblent volées à un oiseau beaucoup plus grand que ce petit Plocéidé. La queue des Oiseaux-lyres est tout simplement «fabuleuse» de magnificence. Sa ressemblance avec l'instrument de musique qui a donné son nom à ce volatile ne se limite pas aux deux plumes externe; elle est tellement complète qu'elle laisse deviner les cordes avec lesquelles on joue de l'instrument. Tout aussi splendides sont les oiseaux de paradis dont la queue est comme un nuage coloré d'une fascinante beauté.

D'autres oiseaux se parent en outre des plumes singulières sur le dessus de la tête. C'est par exemple le cas des cacatoès, du Goura couronné, des coqs de roche et de plusieurs colibris.

Autre trait exceptionnel chez les oiseaux des tropiques: le bec. Il n'est pas seulement beau et long mais donne souvent aussi un extraordinaire exemple d'ingéniosité naturelle. Le bec des toucans par exemple, qui est par ses proportions l'un des plus gros au monde, est en même temps, tout en restant très robuste d'une légèreté inimaginable, et cela, grâce à sa structure alvéolaire. Les calaos ont eux aussi un bec énorme et léger (bien que chez certaines espèces asiatiques il soit «alourdi» par une grosse plaque frontale). Le bec de diverses espèces de colibris n'est pas gros, mais long et recourbé, magnifiquement adapté à sa fonction, comme par exemple celui du Colibri épimaque et du Docimaste porte-épée.

Un gros pic américain, malheureusement en voie de disparition, possède un bec tellement extraordinaire qu'il mérite le nom de pic «à bec d'ivoire», bien que celui-ci ne soit absolument pas constitué de cette matière précieuse. Il existe cependant un oiseau (le seul au monde) doté d'un bec véritablement en ivoire, c'est le Calao à

Ci-dessous : ce sont les ménures superbes qui remportent le prix d'extravagance pour la disposition des plumes. Ils se transforment parfois au point de ne même plus ressembler à des oiseaux.

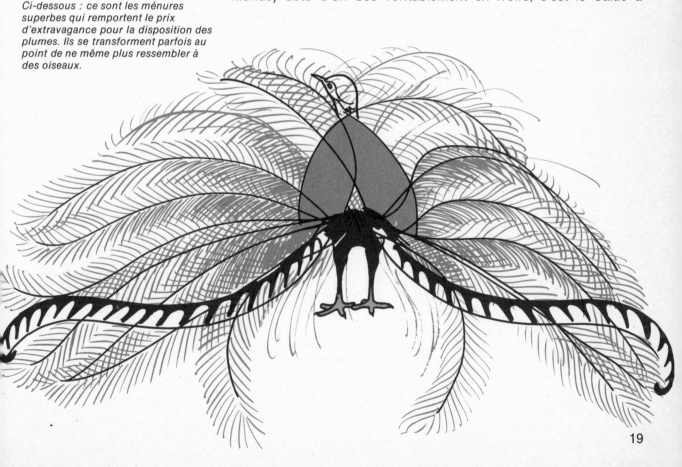

longue queue de Malaisie *(Rhinoplax vigil),* qui fait partie d'une famille tropicale d'oiseaux au bec disproportionné, mais particulièrement dur. Tout le monde connaît les sculptures patientes et artistiques que des artistes esquimaux anonymes pratiquent sur l'ivoire des défenses de Morses et les bien plus grandes sculptures que l'on trouve en Inde et en Afrique sur les défenses d'Éléphants. Mais les indigènes de Bornéo n'en font pas moins : avec le bec d'ivoire du *Rhinoplax vigil,* ils fabriquent en effet de merveilleux ornements et des fétiches d'une rare beauté.

Les couleurs voyantes, l'aspect singulier, les caractéristiques originales des oiseaux qui vivent dans les régions tropicales ne doivent cependant pas faire oublier qu'il s'agit malgré tout d'animaux, ayant des exigences précises (alimentation, reproduction, nidification), et faisant partie d'ensembles biologiques équilibrés.

En ce qui concerne les ressources alimentaires, la forêt tropicale est pour les oiseaux un authentique paradis terrestre où ils n'ont aucune peine à trouver leur nourriture quotidienne, selon leurs goûts. Pour les oiseaux insectivores et carnivores, insectes et reptiles, actifs toute l'année, sont par conséquent à portée de bec, tandis que les oiseaux frugivores n'ont aucun problème pour trouver leur nourriture du fait de la maturation permanente des fruits sous ces latitudes.

À cause de la richesse du règne végétal, il existe un grand nombre d'oiseaux qui se nourrissent presque exclusivement de nectar. C'est justement l'extrême complexité des fleurs, ou plutôt la conformation de la corolle, qui a contribué à la différenciation de formes curieuses, comme les colibris et les Nectariniidés. La forme du bec, mais aussi la capacité de rester comme suspendu dans les airs, dépendent essentiellement de la forme des fleurs et de leur position souvent peu commode. Certaines merveilleuses espèces d'orchidées n'existent que parce que des colibris sont spécialisés dans leur pollinisation.

Même les oiseaux qui vivent sous les tropiques ont souvent des contacts avec les agriculteurs et évidemment en sortent presque toujours vaincus. En fait, les planteurs de bananes et d'agrumes d'Amérique considèrent comme un véritable fléau certaines espèces d'oiseaux tels les petits « nectarivores » et les perroquets. Une de ces espèces a été définitivement exterminée aux États-Unis pour ce seul motif. Parfois, cependant, des oiseaux tropicaux prennent de curieuses revanches, comme dans le cas des colombes frugivores de Bornéo dites « muscade », lesquelles ont contribué à répandre dans toute l'Asie cette épice précieuse alors que les Hollandais avaient fait abattre tous les arbres hors de leurs colonies afin d'en conserver le monopole.

Dans les régions tropicales, comme on l'a vu, les oiseaux trouvent une abondante nourriture mais, malheureusement pour eux, il y a un revers à la médaille : tous les animaux de ces régions recherchent plus ou moins habituellement les oiseaux eux-mêmes comme proies. À la tête de cette véritable armée d'ennemis se trouvent les rapaces.

Prédateurs et proies

Parmi les plus grands prédateurs tropicaux, on trouve la Harpie et le rarissime Aigle mangeur de singes des Philippines ; il s'agit

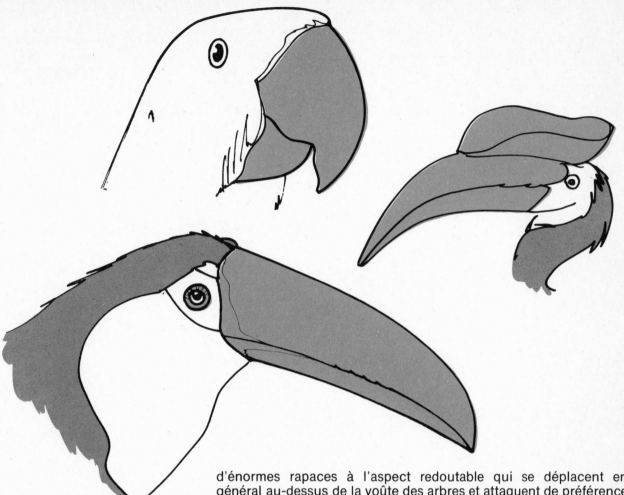

Ci-dessus : le gros bec de l'Ara macao, du Calao afro-asiatique et du toucan. Celui de ce dernier, le plus gros en termes absolus, est aussi, tout en étant très robuste, le plus léger du fait de sa structure alvéolaire innervée, semblable à celle de nombreuses constructions humaines, mais bien supérieure.

Page ci-contre : beaucoup d'oiseaux tropicaux portent des plumes curieuses sur la tête. Ainsi le Cacatoès à huppe jaune, la Grue couronnée et le Goura couronné. Ce dernier a sur le dessus de la tête des plumes aux barbes décomposées ce qui donne à sa huppe l'aspect d'une dentelle très précieuse.

d'énormes rapaces à l'aspect redoutable qui se déplacent en général au-dessus de la voûte des arbres et attaquent de préférence les singes, les pécaris et d'autres mammifères. Les oiseaux de la forêt n'échappent cependant pas à leur attention, même ceux de grande taille comme les Aras. Pour donner une idée de la puissance de ces oiseaux, et en particulier de celle de la Harpie, il suffit de penser que leurs griffes sont aussi grosses que celles d'un ours. Aux côtés de ces gros rapaces, mais plus rapides et plus habiles encore, évoluent les faucons proprement dits, comme le Faucon gris d'Afrique, les faucons forestiers et les caracaras.

Un groupe particulier de rapaces diurnes s'est fait une spécialité de la chasse au plus profond de la forêt. Il s'agit des éperviers et des vautours tropicaux, comme l'Épervier de Gundlach qui vit à Cuba et l'Autour gabar que l'on trouve en Afrique. Ils chassent exclusivement les oiseaux, même plus gros qu'eux.

La nuit tombée, entrent en scène les gros hiboux silencieux (du genre *Bubo*) que l'on trouve partout sous les tropiques. Les plus féroces et habiles sont le Grand-Duc de Fraser et le Grand-Duc de Malaisie, capables de capturer des oiseaux de la taille d'un faisan. Mais la liste des ennemis des oiseaux tropicaux ne se borne pas aux rapaces. Les plus sournois sont sans aucun doute les serpents arboricoles, apparemment lents et maladroits, qui peuvent atteindre les parties les plus hautes des arbres et surprennent souvent les oiseaux dans leurs nids. Bien que leur régime alimentaire soit essentiellement végétarien, les singes eux-mêmes ne dédaignent pas de saisir quelque jeune oisillon ou oiseau de petite taille pour le manger avidement. Il en est de même pour les Lémuriens

(sous-ordre des Prosimiens), qui ont des mœurs nocturnes et chassent volontiers les oiseaux.

Parmi les carnivores tropicaux les plus acharnés contre les oiseaux, on compte le Léopard afro-asiatique et le Jaguar américain. Ces deux superbes félins à la fourrure tachetée, ainsi qu'un grand nombre de leurs parents plus petits, tel le gracieux Ocelot, chassent non seulement les oiseaux terricoles (les faisans, les Paons et les pintades), mais aussi ceux qui vivent sur les plus basses branches sur lesquelles ils grimpent sans trop de difficultés. Leurs proches parents, terriblement efficaces, sont les chats sauvages : le Chat marbré de l'Inde et de Bornéo, le Margay américain et le mystérieux Jaguarondi. Ce dernier, qui vit dans toute l'Amérique du Sud et jusqu'au Texas, chasse habituellement, sur le sol des forêts et des clairières, de petits mammifères et des oiseaux de taille moyenne. En Égypte, au Moyen-Orient et en Asie tropicale, vit un beau chat à la fourrure épaisse, le Chaus ou Chat des marais *(Felis chaus)* ; silencieux et habile, ce félin tue des oiseaux aussi gros que des Paons.

Au nombre des ennemis des oiseaux tropicaux, on peut citer en outre un groupe de mammifères qui vit presque uniquement en Amérique du Sud, à savoir les Procyonidés, dont le Raton laveur (ou Raton crabier) est le plus connu. Beaucoup de Procyonidés vivent sur le sol, mais d'autres, comme le Raton laveur lui-même, sont très capables de grimper sur les branches les plus fines, capturant les oiseaux dans leurs nids pendant leur sommeil. Presque tous les Procyonidés sont de bons nageurs et les arbres des îles parsemant les lagunes ne sont pas hors de leur portée.

La longue chaîne de vie et de mort qui n'épargne aucun habitant de la forêt ne se limite cependant pas aux prédateurs. D'autres oiseaux, bien qu'ils ne soient pas classés parmi les rapaces, capturent en permanence des représentants plus petits ou sans défense de leur propre classe. Ces prédateurs «non professionnels» mais d'une terrible efficacité sont les corbeaux, les pies, les brèves, les pies-grièches tropicales et aussi les toucans, certains pics, etc.

Pour compléter la liste des ennemis des oiseaux tropicaux, il convient enfin de rappeler celui qui est sans doute le plus rusé et le plus implacable : l'homme primitif ou civilisé qui est depuis toujours fasciné par l'extraordinaire beauté de ces oiseaux, au point que, dans certains cas, il a donné aux plumes une valeur monétaire : les habitants de l'île de Santa Cruz, en Mélanésie, par exemple, utilisent les plumes rouge cramoisi d'un petit Méliphage comme monnaie d'échange. Par un patient travail de collage, ils confectionnent de longues ceintures qu'ils enroulent et conservent jusqu'au moment de faire l'acquisition d'épouse que les parents cèdent en échange de ces ceintures.

Au siècle dernier, les dépouilles voyantes des oiseaux de paradis avaient une très grande valeur. Leur découverte par les femmes européennes déclencha une telle frénésie d'achats qu'elle mit en danger la survie de ces merveilleux oiseaux. C'était devenu un véritable sujet d'orgueil de pouvoir exhiber dans son salon un oiseau de paradis empaillé.

Aujourd'hui encore, les indigènes de Nouvelle-Guinée, frappés par la splendeur de ces oiseaux qu'ils appellent «oiseaux des dieux», utilisent leurs plumes pour en faire des décorations et des coiffures rituelles. Ainsi par exemple, les *nhhwaindu*, sorte de très larges manteaux dont ils se couvrent de la tête aux pieds durant les

Ci-dessus : masque des indigènes de Nouvelle-Guinée fait de plumes d'oiseaux de paradis : il est utilisé comme tenue rituelle pendant les cérémonies propitiatoires pour la fécondité des champs.
Ci-dessous : les indigènes de Bornéo fabriquent avec le bec de certains oiseaux des ornements et des fétiches religieux.

cérémonies propitiatoires pour demander la fécondité des champs. D'extraordinaires coiffures de plumes sont également utilisées aux îles Hawaii.

Défense passive

Si elle leur a donné beaucoup d'ennemis, la nature a par contre, avec une imagination infinie, doté les oiseaux d'armes défensives capables tout au moins de limiter les dégâts et les pertes. En réalité, les oiseaux, et donc aussi les oiseaux tropicaux, savent mettre en œuvre les stratégies de défense les plus variées. L'une des plus importantes est le camouflage ; s'il n'est pas aussi évident que chez les oiseaux du désert ou des régions arctiques, il suffit cependant à permettre aux habitants ailés des régions boisées et chaudes de se cacher grâce aux couleurs de leurs plumes. On observe la prédominance de la couleur verte, la plus classique, qui se fond au feuillage toujours vert de la forêt tropicale. En effet, le pourcentage d'oiseaux verts est beaucoup plus élevé ici que partout ailleurs. D'ailleurs, même les couleurs les plus vives pour l'œil humain sont peu visibles dans la pénombre des frondaisons : un plumage blanc ressortirait beaucoup plus qu'un plumage rouge, jaune ou bleu. Il n'existe pratiquement pas d'oiseaux blancs dans la forêt, à l'exception des gros cacatoès qui vivent en groupes nombreux et savent très bien se défendre. Les rayures, comme celles de la queue de nombreux faisans, permettent un camouflage facile, car l'alternance de clair et de foncé imite presque à la perfection les ombres des arbustes.

Le bec énorme de nombreuses espèces doit, d'autre part, être considéré comme une arme stratégique extraordinairement intimidante : le bec des toucans et des calaos, par exemple, a un rôle défensif contre leurs ennemis et sert aussi à épouvanter leurs propres proies. C'est donc en même temps une arme de défense et d'attaque.

Enfin, le fait de pouvoir s'envoler soudainement est l'arme classique que les oiseaux emploient quand tous les autres artifices n'ont plus de succès. Leur structure physique est souvent adaptée à un vol bref mais très rapide (faisans).

Une maison
aux tropiques

L'absence d'alternance des saisons dans les régions tropicales (seule la saison des pluies peut faire penser à un semblant d'hiver, bien qu'en fait il fasse encore plus chaud après la pluie qu'avant) a une influence naturelle sur le cycle reproducteur des oiseaux qui y vivent, car chaque espèce ou chaque famille niche à la saison qui lui convient le mieux. Les animaux tropicaux ne sont pas soumis aux mêmes contraintes que ceux des régions froides et tempérées. Il est vrai que, en général, les gros oiseaux de la forêt nichent une seule fois par an, mais les plus petits le font plusieurs fois et ne cessent pratiquement jamais de construire des nids et d'élever des petits. La saison des pluies elle-même n'a pas une influence très grande. Certains pics, par exemple, attendent la saison sèche pour construire leur nid, tandis que d'autres, dans la même région, font exactement l'inverse.

Si le nombre considérable des arbres de la forêt tropicale favorise le choix d'un emplacement adéquat pour nicher, le grand nombre d'ennemis, et en particulier d'ennemis « rampants » comme les serpents arboricoles, pose beaucoup de problèmes aux oiseaux de la forêt.

En pratique, seuls les pics, grands ou petits, n'ont pas de difficultés dans ce domaine : les deux époux (ou le mâle seul) choisissent

Nid de calao. La femelle se laisse emmurer dans une cavité d'arbre naturelle, reliée à l'extérieur par une petite fente à travers laquelle le mâle lui donne la becquée qu'elle donne à son tour aux petits. Lorsque ceux-ci sont suffisamment développés, elle abat le mur.

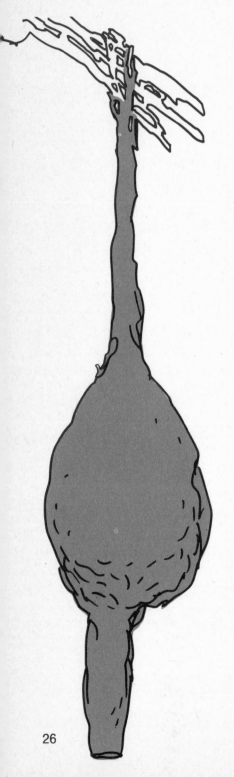

rapidement un arbre à leur goût, creusent dans le tronc, non loin ou assez loin du sol, un trou horizontal, aussi petit que possible, y entrent, et de l'intérieur travaillent à préparer une bien plus grande cavité correspondant à leur taille. La femelle y pond les œufs sans avoir besoin d'autres matériaux plus ou moins doux comme c'est le cas chez d'autres espèces. Notons que les pics ont souvent l'habitude de construire un nouveau nid à chaque saison de reproduction, mais ce n'est pas une règle générale.

Certains oiseaux, tout en n'étant pas capables de creuser un trou dans un tronc, n'en choisissent pas moins les cavités naturelles des arbres pour y nicher. C'est notamment le cas du Calao. Après avoir repéré une cavité appropriée, la femelle commence à remplir de boue l'entrée du trou jusqu'à ce que, peu à peu, celle-ci se rétrécisse. Elle pénètre alors à l'intérieur du nid et, par un patient travail de son énorme bec, et avec l'aide du mâle qui se trouve à l'extérieur, continue à boucher l'entrée jusqu'à ce qu'elle ne puisse plus sortir que le bec. À partir de cet instant, c'est le mâle qui pourvoit aux besoins de la femelle, puis des oisillons. Au moment voulu, cependant, la femelle démolit le mur pour sortir, suivie de ses petits. Cette méthode est absolument infaillible contre les attaques des ennemis, même de ceux qui, comme les serpents, pourraient réussir à pénétrer dans le trou, car ils trouvent l'entrée bloquée par le terrible bec de la maîtresse de maison.

Le Fournier sud-américain utilise lui aussi la boue comme matériau de construction. Il n'est pas le seul à construire un nid entièrement fait de terre mouillée, mais ce nid est certainement le plus robuste. En forme et de la taille d'un ballon de football il a une fente d'entrée latérale ouvrant sur une sorte d'antichambre, laquelle précède le creux où sont pondus les œufs. Le nid du Fournier roux est construit pendant la saison des pluies, quand il est plus facile de

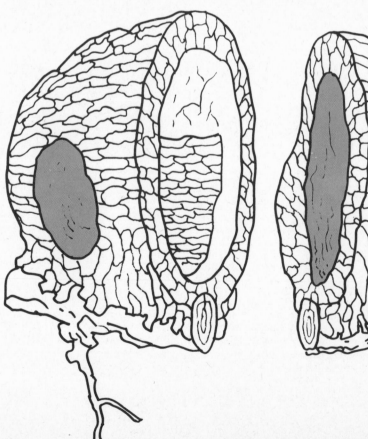

trouver des matériaux, et il est assez solide pour résister plusieurs années.

Si on laisse de côté les oiseaux qui pondent leurs œufs au sol sans, ou presque sans construire un véritable nid, on observe que la méthode la plus classique suivie par les autres consiste à faire avec des brindilles et des herbes un nid suspendu. Ces nids sont souvent peu élaborés, grossiers et très petits, au point que lorsque les oisillons grandissent, ils y sont à l'étroit et risquent de tomber à terre, devenant ainsi une proie facile pour toutes sortes d'animaux. C'est pourquoi, plus l'oiseau est petit, mieux le nid est fait.

L'emplacement du nid

L'emplacement des nids suspendus est extrêmement varié : sur de très hauts arbres, sur des buissons, sur de grosses branches près d'une fourche, mais aussi sur des rameaux très fins bougeant à chaque rafale de vent. Beaucoup d'oiseaux sont très habiles pour camoufler leur nid en le recouvrant de brindilles, herbes, radicelles ou même toiles d'araignées, mousse et lichens de façon à le rendre pratiquement invisible, même de près. C'est ainsi qu'agissent par exemple les Gobe-mouches de paradis.

Le système le plus perfectionné pour la construction d'un nid sur une branche d'arbre est sans nul doute celui qu'ont adopté plusieurs espèces d'oiseaux d'Amérique et d'Afrique. Il s'agit d'un nid en forme de bourse dont les « montants » peuvent atteindre près de 1 mètre. Parfois, au lieu de faire une ouverture latérale directe, l'oiseau construit un couloir d'entrée plus ou moins long. Ce système, surtout s'il est utilisé sur des branches souples, est presque infaillible contre les attaques des chasseurs d'œufs.

Le nid en forme de bourse est le plus perfectionné de ceux qui sont construits sur les arbres. Mais le plus curieux est le nid de terre mouillée du fournier (à gauche). Séché au soleil, ce nid devient une belle sphère robuste, capable de durer plusieurs années.

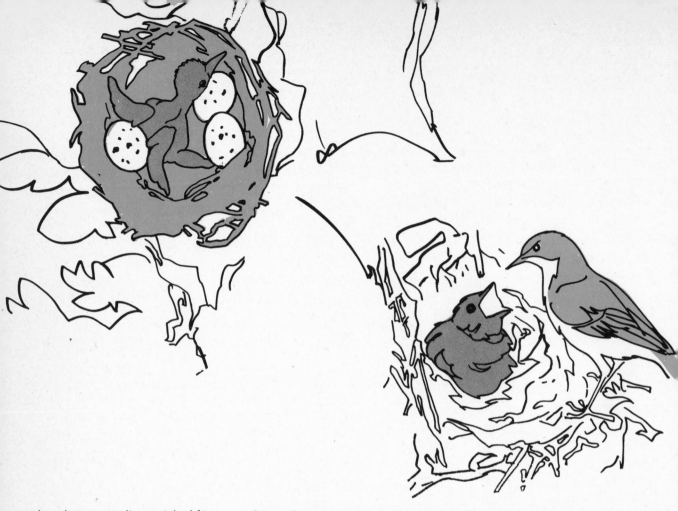

Les oiseaux parasites sont des hôtes abusifs qui ne couvent pas leurs œufs mais les pondent dans les nids des autres. Il en est ainsi des coucous, qui pondent un œuf dans chaque nid choisi, et des Veuves africaines qui recherchent les nids des Estrildidés où elles pondent toute leur couvée. Les œufs sont tellement camouflés que le propriétaire du nid ne s'en aperçoit pas.

Les oiseaux qui construisent des nids en forme de bourse pendante (et en particulier les Troupiales, les Cassiques et tous les oiseaux tropicaux sud-américains) placent parfois leurs nids (généralement groupés et très nombreux sur un même arbre) près des colonies de certaines guêpes agressives ou de bourdons qui font des nids en « carton » étonnamment semblables aux leurs. L'ingéniosité de cette solution saute aux yeux. Un singe peu courtois qui s'aviserait de secouer les branches pour en faire tomber le nid et les œufs s'apercevrait trop tard qu'il a provoqué la colère de quelques centaines de féroces bourdons. Fait surprenant : les bourdons n'attaquent pas leurs voisins. On pense que cela est dû au fait que le plumage des troupiales et des cassiques, souvent noir et jaune, est de couleur semblable à celle des guêpes. D'autres animaux n'ayant pas ces couleurs et se hasardant aux abords de la ruche seraient aussitôt attaqués.

Un autre exemple de la perfection des nids pendants construits en colonies par les tisserins et les cassiques est celui qu'offrent deux oiseaux vivant sur deux continents et appartenant respectivement à la famille des Plocéidés et à celle des Psittacidés. Dans les savanes de l'Afrique tropicale vit le Républicain, tout à fait semblable au Moineau domestique européen quant à sa couleur, mais beaucoup plus original en ce qui concerne la construction de son nid. Après avoir choisi un arbre isolé, parfois même pas très haut, des centaines de Républicains commencent à bâtir un nid commun de dimensions que l'on peut à juste titre qualifier d'extraordinaires. Ils construisent d'abord le toit, semblable à celui d'une case indigène, puis chaque couple s'emploie à faire son nid personnel, pendu sous la couverture commune de façon à ce que, même de près, le tout ressemble à un énorme amas de brins de paille. À l'autre extrémité du globe, en Amérique du Sud, la Perruche-souris, comme le Républicain, construit un grand nid communautaire, dans lequel chaque couple creuse son propre gîte. Il n'est pas rare que le tout, devenu trop lourd, s'écroule.

Une concurrence acharnée...

Même sous les tropiques, le « problème de la maison » est assez aigu et les hôtes abusifs des nids des autres sont véritablement légion. Les nids de pics abandonnés sont tout particulièrement convoités par tous ceux qui cherchent désespérément un lieu approprié et protégé où pondre leurs œufs. Selon les dimensions du pic qui a creusé le nid, et donc selon celles de l'aspirant locataire, se déroulent de furieuses batailles entre les différents habitants de la forêt. Par exemple, les toucans et les aracaris doivent se battre contre les Cotingidés et les pics eux-mêmes; ceux-ci contre les Capitonidés, etc. En plus des nids creusés dans les troncs et les cavités naturelles, qui sont les refuges les plus obscurs, les nids situés sur les branches sont âprement disputés, tout particulièrement par les faucons et les éperviers.

Si les voleurs de nids sont une menace pour les oiseaux qui se donnent tant de mal pour bâtir leur « maison », les oiseaux parasites, qui par une sorte d'aberration de la nature se refusent à couver eux-mêmes leurs œufs et les déposent dans les nids d'autres espèces, sont également « abusifs ». Le cas des Coucous est peut-être le plus connu justement à cause de la présence dans les pays d'Europe de deux représentants d'une famille très répandue sous les tropiques. En général la femelle pond 1 seul œuf dans chaque nid choisi comme hôte, mais il arrive qu'elle en ponde plusieurs. (Il faut noter que les Coucous ne sont pas tous parasites.)

Les 9 espèces de Veuves africaines, qui choisissent exclusivement les nids de petits Estrildidés, offrent un cas de parasitisme très marqué. Elles vont jusqu'à pondre des œufs semblables à ceux de l'espèce parasitée, dans ce cas précis des œufs blancs comme ceux de l'Astrild, alors qu'en général les Passériformes africains (et les Veuves font partie du groupe) pondent des œufs tachetés. Les petits de la veuve ressemblent fortement à ceux de l'espèce-hôte.

En Amérique également vivent des oiseaux parasites, comme les Molothres. Certaines espèces de ce groupe sont des parasites aussi parfaits que le coucou, tandis que d'autres montrent un comportement moins évolué, en ce sens que pendant la période de reproduction ils s'emploient à construire un nid qu'ils laissent naturellement inachevé. Certains molothres ne sont pourtant pas des parasites et se contentent d'utiliser les nids abandonnés par d'autres espèces.

Une fois le nid construit (ou après en avoir occupé abusivement un vide) le couple qui n'a pas abandonné sa progéniture n'est pas au bout de ses peines. Il lui faut couver ses œufs pendant toute leur période d'incubation, attendre le moment délicat de l'éclosion et, enfin, nourrir, surveiller et défendre les petits, généralement incapables de subvenir à leurs besoins pendant une période plus ou moins longue.

Les ennemis de leurs œufs sont encore plus nombreux que les ennemis des oiseaux eux-mêmes. On peut en effet affirmer que certaines espèces ne dédaignent pas, lorsque l'occasion s'en

La méthode de couvaison du Tallégale est plutôt originale. La femelle pond ses œufs sur un tas de matériaux du sous-bois que le mâle a amassés avec soin, puis elle les recouvre d'autres matériaux. Commence alors la phase la plus délicate ; l'incubation qui est provoquée par la température élevée due à la fermentation des matériaux. C'est un peu comme si le Tallégale confiait ses œufs à une couveuse naturelle.

présente, de se nourrir des œufs de leurs semblables. Mais à côté de ces pillards occasionnels, il existe beaucoup d'oiseaux qui se comportent ainsi de façon systématique. Ce sont par exemple les toucans, dont le long bec peut aisément pénétrer dans le profond nid des cassiques et y saisir des œufs et des oisillons. Encore plus rusés dans cette recherche de nids à piller sont les membres de la famille des Corvidés, c'est-à-dire les corbeaux proprement dits, les pies et les geais. Ils n'ont peur de rien, ni du bec puissant des hérons, ni de la taille d'un faisan, et encore moins de la prudence ou de l'agressivité des oiseaux plus petits qu'eux. Les corbeaux et les corneilles attendent patiemment que la femelle se soit éloignée du nid pour s'y glisser furtivement, saisir un œuf et aller le manger en toute tranquillité plus loin. Et la manœuvre recommence jusqu'à ce que le nid soit vide.

Les hérissons, les opossums, les ratons et même les écureuils et les loirs peuvent être des ennemis occasionnels des couvées. Les singes, grâce à leur agilité bien connue, glissent avec dextérité la patte dans les cavités des arbres pour en extraire les œufs ou les oisillons. Étant donné leur nombre dans les forêts tropicales, les singes et les lémuriens représentent une des plus grandes calamités pour les oiseaux en période de nidification.

La possibilité de trouver les œufs des différentes espèces d'oiseaux à n'importe quelle époque de l'année est justement exploitée par une catégorie de serpents (les Mangeurs d'œufs du genre *Dasypeltis*) dont cet aliment constitue le régime habituel.

Il faut ajouter que les œufs les plus recherchés par les animaux, y compris ceux qui sont pondus directement au sol et donc plus

Les serpents Mangeurs d'œufs ont une nourriture assurée l'année durant car les oiseaux tropicaux se reproduisent en toutes saisons. Leur estomac a un fonctionnement curieux : en effet, l'œuf avalé, la coquille est rejetée.

exposés aux dangers, ont une coloration homochrome très accentuée comme les œufs de faisan, de perdrix, de caille ainsi que ceux des gangas et des outardes.

Incubation artificielle

C'est sans doute la méthode choisie par le Mégapode de Latham ou Tallégale d'Australie (genre *Alectura*) pour faire éclore ses descendants qui est la plus originale. Il s'agit d'une grosse espèce faisant partie d'une famille propre à l'Australie et l'Indonésie. Au moment voulu, le mâle du Tallégale commence avec beaucoup de conscience et d'énergie à amasser un énorme tas de matériaux du sous-bois, en particulier des feuilles pas tout à fait sèches et des herbes vertes. Après l'accouplement, la femelle pond les œufs au beau milieu du tas et le mâle les recouvre abondamment du matériau amassé. La phase la plus délicate commence alors : l'incubation en effet est produite par la température élevée atteinte par les matériaux en fermentation. Le mâle ne s'éloigne pas; il surveille la situation, rajoutant si c'est nécessaire du matériau frais pour faire augmenter la température du tumulus. Les œufs étant pondus l'un après l'autre, les petits éclosent de façon échelonnée. Ils sont déjà parfaitement en mesure de veiller sur eux-mêmes. Ils s'éloignent alors du nid et se mettent en quête des vers et des graines qui seront leur alimentation.

En général, tous les jeunes oiseaux sont nourris d'aliments riches en protéines (c'est-à-dire de viande sous forme d'insectes, de vers et autres petits animaux) et en calcium et convenant parfaitement à une croissance rapide. Ce principe est également valable pour les espèces qui, à l'âge adulte, sont essentiellement végétariennes,

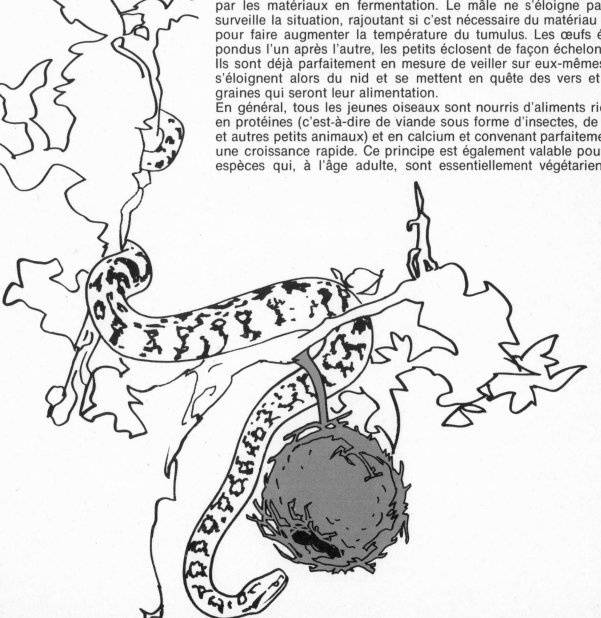

Les petits de la Pintade vulturine naissent déjà alertes et capables de se nourrir seuls. Cependant le père et la mère les accompagnent dans leurs promenades en campagne, ouvrant et fermant la marche, pour éviter qu'ils ne se perdent ou ne soient victimes de quelque cruel prédateur.

c'est-à-dire granivores et frugivores. La grande famille des Columbidés (tourterelles, colombes et pigeons) fait pourtant exception à cette règle d'alimentation à base de viande et nourrit ses petits avec son fameux « lait de pigeon » : une modification structurale du jabot se produit au moment voulu ; il y a desquamation des cellules de ses parois et leur masse forme une substance ressemblant au fromage blanc et contenant un fort pourcentage de protéines. Au bout de quelques jours, ce « lait » n'est plus produit et les petits sont alors nourris des mêmes aliments que les adultes, c'est-à-dire de graines et de fruits.

Les perroquets également, bien que d'une manière moins perfectionnée, élèvent leurs oisillons avec une nourriture régurgitée, partiellement altérée. La durée des soins accordés aux petits qui naissent nus et doivent rester au nid tout le temps nécessaire varie de 2 à 4 semaines ; même hors du nid, ils cherchent souvent, et naturellement obtiennent, la becquée des parents, jusqu'à ce que ces derniers s'éloignent ou se préparent à bâtir un nouveau nid. Bien qu'ils soient capables de se nourrir seuls, les poussins nidifuges vivent sous la protection de la mère pendant une période plus ou moins longue (en général 1 mois) jusqu'à ce qu'ils s'émancipent et se dispersent.

Voici enfin une dernière constatation intéressante : tandis que les petits qui éclosent dans des cavités (toucans, perroquets) ont un duvet blanc ou de couleur uniforme, car ils n'ont pas besoin de se camoufler, ceux qui éclosent dans des nids situés en plein air possèdent généralement un plumage plutôt uniforme, habituellement très différent de celui des adultes. Les plus perfectionnés dans ce domaine sont les poussins nidifuges du groupe des faisans et des perdrix, tous revêtus d'un duvet tacheté et rayé de couleur marron qui se perd facilement parmi les feuilles et les détritus du sous-bois ou des champs en général. En plus des taches et des rayures, leurs couleurs varient selon les lieux fréquentés.

Tisserin jaune

S'il vous vient à l'idée d'élever chez vous, dans une petite cage, un Tisserin, ce sympathique petit oiseau jaune au masque rougeâtre, au chant plutôt insignifiant et aux goûts peu raffinés, vous n'imaginerez probablement pas que vous possédez là l'un des plus dangereux « ennemis » de l'homme, ou en tout cas des populations indigènes d'Afrique. Car, bien qu'il ne soit pas réellement l'un des plus acharnés destructeurs des champs de graminées, le Tisserin jaune fait partie d'une famille qui est à l'origine de véritables famines.

En effet, dans les régions africaines au sud du Sahara, où l'agriculture est le plus développée, se sont installées des bandes de ces petits oiseaux qui attendent avec impatience la maturation de graines savoureuses tels le millet, le sorgho, etc. Dans certains cas, le rapport terres cultivées — oiseaux granivores est à ce point déséquilibré que les agriculteurs ont tout simplement dû cesser leurs cultures.

En pratique, cette situation anormale est la conséquence de l'un des nombreux déséquilibres écologiques provoqués par l'homme. Là où la nature reste à son état originel, les oiseaux granivores (et les Plocéidés en particulier) n'ont pas la possibilité de se développer d'une manière aussi explosive, du fait qu'il existe un rapport bien précis entre la production naturelle de graines sauvages et le nombre d'animaux qui s'en nourrissent. Ce n'est pas

Nom scientifique : *Ploceus galbula*. **Dimension :** longueur 13 cm. **Nidification :** nid en forme de bourse pendante s'ouvrant vers le bas. Oisillons nidicoles. **Mœurs :** oiseau sociable, sédentaire et erratique. **Alimentation :** essentiellement granivore. **Habitat :** savanes et lieux cultivés de l'Afrique tropicale et du sud de l'Arabie.

Un Tisserin jaune mâle ; ce petit oiseau est parfois commercialisé pour la beauté de son plumage, bien que son chant ne soit pas particulièrement mélodieux.

la faute de ce sympathique tisserin si l'homme a décidé d'aller cultiver des graminées à l'endroit où la nature avait prévu des pâturages pour des Girafes ou des Gazelles pacifiques, et où les oiseaux vivaient en parfait équilibre avec la nature environnante.

Mise à part cette caractéristique de « voleur de céréales » ce Tisserin, qui fait partie d'un groupe de 109 espèces réparties entre l'Afrique et l'Asie tropicales, présente des mœurs très intéressantes. Par exemple, le Tisserin jaune est un oiseau particulièrement sociable, et il n'est pas rare d'observer des centaines de nids construits en colonie sur un gros arbre de la savane.

Cet oiseau tire en fait son nom de l'habileté particulière avec laquelle il construit son nid, généralement en forme de bourse pendue à une branche mais s'ouvrant sur le côté. Il peut ainsi échapper presque complètement à tout ennemi qui chercherait à atteindre ses œufs, car son nid est généralement accroché à des branches très souples, et la structure particulière de l'entrée, protégée par une sorte de sas, presque comme un couloir, empêche même un serpent arboricole d'atteindre les œufs qui se trouvent au fond du nid. Fait remarquable, plusieurs oiseaux de ce groupe sont en mesure de réaliser un véritable travail de cardage : à partir d'une toute petite incision du bec dans une feuille de palmier, ils parviennent à détacher une longue bande de fibre, qu'ils entrelaceront à d'autres rubans obtenus de la même façon.

Troupiale ordinaire

Nom scientifique : *Icterus icterus.*
Dimension : longueur 22 cm. **Nidifica-tion :** sur les arbres ; nid en forme de hamac entre deux branches. Oisillons nidicoles. **Mœurs :** oiseau sociable, sédentaire. **Alimentation :** essentiel-lement insectivore. **Habitat :** zones plantées d'arbres ou bois avoisinant les fleuves de Colombie, Venezuela, Brésil et Paraguay.

Ce mâle de la famille des Ictéridés illustre bien les traits caractéristiques du groupe, c'est-à-dire un plumage aux tons jaune et noir contrastés et un bec robuste comme celui des Sturnidés.

Le Troupiale est le représentant le plus typique d'une famille américaine qui comprend une cinquantaine d'espèces répandues sur tout le continent, du nord au sud.

Le Troupiale ordinaire est pourtant plus localisé dans la région tropicale et vit seulement en Colombie, au Venezuela, au Brésil et au Paraguay. Il se caractérise, comme d'ailleurs ses autres parents, par le contraste des couleurs de son plumage jaune vif et noir.

Le Troupiale aime vivre dans les zones boisées proches des fleuves, dans l'atmosphère chaude et humide de la forêt-galerie, mais non dans les forêts plus denses. Son alimentation est essentiellement insectivore.

Pendant la période des amours, le mâle se contente d'émettre des sons mélodieux tandis que la femelle se charge de la construction du nid. Elle travaille seule et n'en réussit pas moins à tisser un superbe nid en forme de hamac, suspendu à la fourche d'une branche horizontale, exactement comme celui du Loriot européen. Elle y pond en général 4 à 6 œufs.

D'autres représentants de cette famille sont également dignes d'intérêt : les cassiques qui forment d'importantes colonies et construisent de très longs nids suspendus aux branches, et les molothres qui ont des mœurs de parasites, comme le Coucou européen. L'un d'eux pond ses œufs dans les nids de 250 espèces différentes, mais ses petits n'évincent pas ceux de l'hôte.

Oiseau-sucrier du Cap

Les plantes et les arbres des tropiques étant presque toujours fleuris, il est naturel que de nombreux animaux aient vu se développer un instinct les poussant à tirer parti des ressources alimentaires que les fleurs offrent en abondance, tout particulièrement le nectar.

En Amérique, la nature est ainsi parvenue à « créer » les colibris, sur l'ancien continent elle a « produit » les Nectariniidés, tandis que pour ne pas être en reste, l'Australie est devenue le berceau de la nombreuse famille d'oiseaux rassemblés sous le nom de Méliphages. Ces oiseaux, dont il existe près de 160 espèces, sont surtout répandus sur ce dernier continent, mais se sont par la suite déployés jusqu'à diverses grandes îles de l'Océanie ; certains ont même atteint l'Afrique du Sud.

Les savants ne sont pas tous d'accord sur la parenté qui existe entre l'Oiseau-sucrier ou Promérops du Cap et les Méliphages. Mais ces oiseaux n'en présentent pas moins de très nombreuses similitudes, tant par leurs mœurs que par la structure de leur corps.

Les méliphages australiens vivent en petites colonies dans les forêts d'eucalyptus et se déplacent en fonction des saisons, à la recherche de nouvelles floraisons. On a remarqué une certaine agressivité parmi les membres de ces bandes qui, une fois atteint un nouvel arbre riche en fleurs à peine écloses, se battent les uns contre les autres pour s'approprier le nectar du plus grand nombre

Nom scientifique : *Promerops cafer.*
Dimensions : longueur mâle 42 cm ; longueur femelle 28 cm. **Nidification :** nid en forme de coupe ouverte. Oisillons nidicoles. **Mœurs :** vit solitaire ou en petites colonies ; oiseau sédentaire et erratique ; arboricole. **Alimentation :** nectar des fleurs. **Habitat :** zones boisées en général, savane arborée, zones cultivées de l'Afrique du Sud méridionale.

Méliphage dans son milieu favori, à savoir les merveilleuses fleurs tropicales dont il absorbe le nectar. Ces oiseaux servent ainsi d'agents de pollinisation pour des fleurs grosses et complexes que les insectes ne parviendraient pas à féconder.

de fleurs. Le plus souvent, les méliphages sont petits et ont des couleurs vives, mais certains sont légèrement plus grands et ont un plumage foncé ou noir. Ces derniers ont la tête ornée de touffes de plumes assez étranges ou de caroncules (excroissances de chair) de couleur rouge ; d'autres encore ont la tête chauve comme l'Oiseau-prêtre.

L'Oiseau-sucrier du Cap, le plus grand représentant du groupe, vit dans la région la plus méridionale de l'Afrique du Sud. Les plumes de la queue extraordinairement allongées, mais seulement chez le mâle, constituent l'une de ses caractéristiques.

Le nid de l'Oiseau-sucrier, généralement l'œuvre de la seule femelle, est une sorte de coupe très ouverte, située près du sol et tissée d'éléments végétaux.

Page ci-contre et ci-dessus : les méliphages sont des oiseaux essentiellement tropicaux qui, à partir de leur pays d'origine (Indonésie et Australie) se sont répandus jusqu'en Afrique (il ne s'agit là en fait que d'une seule espèce). Le Méliphage cardinal d'Australie représenté ici peut de son long bec et de sa langue digitée atteindre le fond des corolles de n'importe quelle fleur. Sa petite taille, son plumage souvent voyant, son bec long et recourbé le fait ressembler aux colibris dont il n'a cependant pas la capacité de vol.

Spréo superbe

Nom scientifique : *Spreo superbus.*
Dimension : longueur 21 cm. **Nidification** : nid de brindilles épineuses dans les arbres. Oisillons nidicoles.
Mœurs : oiseau terricole, à tendance grégaire. **Alimentation** : insectivore (larves, vers de terre, arthropodes).
Habitat : prairies, savanes boisées, bordures des déserts broussailleux de l'est de l'Afrique orientale.

Ci-dessus : une bande de Spréos superbes à la recherche de leur nourriture dans les herbes de la savane.
Page ci-contre : un petit groupe de Spréos superbes ; ces oiseaux ont un instinct grégaire qui dure toute l'année.

La savane africaine est l'un des paysages les plus célébrés au monde. Tous les hommes, même ceux qui doivent se contenter de l'admirer dans les livres, sont émerveillés par les visions fascinantes de troupeaux d'Éléphants, de Buffles et d'antilopes qui paissent dans ses immenses prairies. Une des photographies les plus réussies montre un oiseau au bec rougeâtre recherchant avec diligence les parasites sur le dos de ces gros mammifères : il s'agit du Pique-bœufs, proche parent du Spréo superbe.

Ce dernier suit lui aussi les troupeaux en mouvement, mais pour une toute autre raison : les gros animaux, en particulier les Buffles, remuent profondément la végétation avec leurs pattes, faisant ainsi apparaître les larves et les vers et fuir les insectes cachés dans l'herbe, ce dont profite justement le Spréo pour se nourrir sans trop de peine. Le Spréo superbe est un oiseau éminemment grégaire : il vit toute l'année en compagnie de ses semblables.

Comme nous venons de le voir, il se nourrit sur le sol — en utilisant une ingénieuse tactique — mais, pour dormir, il recherche les arbres isolés, parfois même les roseaux où se perchent plusieurs milliers d'individus, bruyants et agités jusqu'à la tombée de l'obscurité.

Au moment de la nidification, il choisit des branches d'arbres ou de gros buissons entre lesquels il construit un gros nid de brindilles épineuses, bien revêtu à l'intérieur d'herbes plus douces.

Mainate religieux

Nom scientifique : *Gracula religiosa.*
Dimension : longueur 27 cm. **Nidification** : dans les cavités des arbres. Oisillons nidicoles. **Mœurs** : modérément grégaire, terricole. **Alimentation** : fruits charnus et insectes. **Habitat** : zones boisées et cultivées, même à proximité des villages, en Inde, Indochine et Malaisie. Peut vivre en cage.

Le Mainate religieux adulte a un bec robuste et un plumage foncé et irisé. Sa popularité en tant qu'oiseau de volière est grande : elle est due surtout à sa capacité, supérieure à celle des perroquets, d'imiter la voix humaine.

Le Mainate religieux ou de l'Inde appartient à la famille des Sturnidés dont il est l'un des plus gros représentants. Mais il se distingue nettement de ses semblables par ses mœurs, car il préfère les zones plus riches en arbres de la région tropicale asiatique, de l'Inde à l'Indochine et à la Malaisie. En Inde, le Mainate religieux fréquente les plaines et les montagnes jusqu'à 1 500 mètres d'altitude. On en distingue plusieurs sous-espèces en se fondant sur la longueur des lobes postérieurs de la caroncule ainsi que sur la forme du bec, qui est plus ou moins court.

Son alimentation est plutôt à base de fruits charnus que d'insectes.

Il niche dans des trous d'arbres (souvent dans des nids de pics abandonnés), au fond desquels il construit un véritable nid. Ses œufs sont bleuâtres et tachetés de brun ou de rose.

Dans son milieu d'origine, le Mainate religieux n'est pas un oiseau méfiant et s'approche facilement des villages d'indigènes.

Domestiqué pour son caractère facile, il a acquis une grande popularité du fait de son extraordinaire capacité à imiter les sons les plus variés, y compris la voix humaine. Il est en cela bien supérieur aux perroquets qui ne parlent pratiquement jamais sur commande, tandis que le Mainate, dans les limites du possible, peut échanger une sorte de dialogue avec son interlocuteur. Il s'agit donc d'un oiseau de volière tout à fait extraordinaire, c'est pourquoi il est de plus en plus recherché par les amateurs.

Gobe-mouches

Un oiseau qui a reçu un nom tel que «Gobe-mouches de paradis» doit nécessairement être l'un des plus beaux membres de sa famille. Il est effectivement parvenu par certains aspects à surpasser les «fabuleux» oiseaux de paradis, ses voisins (Nouvelle-Guinée, Australie). Outre une livrée différente selon les sexes, une huppe pointue sur la tête et des plumes de la queue extraordinairement allongées, ce gobe-mouches est caractérisé par deux phases distinctes du plumage : l'une complètement blanche sauf la tête qui reste toujours noire, l'autre au cours de laquelle le plumage prend une belle couleur brun-rouille.

En outre, le Gobe-mouches de paradis indien a divers proches parents tout aussi fascinants, tant par leur plumage que par la queue allongée des mâles. L'une de ces espèces a même atteint le Japon, qui n'est pas à proprement parler une région tropicale : ce Gobe-mouches est presque totalement noir avec le ventre blanc et des reflets violacés sur le dos et les ailes.

C'est chez les vieux mâles que les rectrices atteignent leur plus grand développement : les deux plus longues mesurent jusqu'à 25 centimètres de long. Les femelles et les jeunes ont la tête noire, la face supérieure, les ailes et la queue de couleur rousse, tandis que la poitrine et l'abdomen sont gris ou blancs.

D'autres Gobe-mouches de paradis vivent en Afrique et à Madagascar ; ils présentent eux aussi deux phases de plumage.

Nom scientifique : *Terpsiphone paradisi*. **Dimensions :** longueur mâle 48 cm ; longueur femelle 34 cm. **Nidification :** nid bien fait dans lequel sont déposés des œufs crème, bariolés de taches foncées. **Mœurs :** oiseau sédentaire ; vit solitaire ou par couples. **Alimentation :** insectes en vol. **Habitat :** toutes régions boisées de l'Inde, d'Indonésie et de la péninsule indochinoise.

Femelle de Gobe-mouches de paradis indien protégeant ses petits à peine éclos. Le nid est très petit, mais bien fait et solide. Les deux parents prennent soin des oisillons pendant toute leur croissance.

Le Gobe-mouches de paradis indien a le même type d'alimentation et la même méthode de chasse que ses congénères. Tous les membres de cette famille sont en effet strictement insectivores et beaucoup d'entre eux capturent les insectes en vol. La méthode la plus courante est la suivante : l'oiseau est perché, immobile, généralement sur une branche basse ou au sommet d'un buisson, c'est-à-dire à peu de distance du sol. Dès qu'il aperçoit un insecte en vol, il le rejoint rapidement et, d'un mouvement très vif, le saisit (presque toujours) et regagne aussitôt son perchoir. La technique du Gobe-mouches de paradis indien est cependant différente, car il ne retourne pas à son perchoir de départ, mais va se poser ailleurs.

Cet oiseau est résolument sédentaire ; il ne craint pas l'homme et vit souvent à proximité des villages. Il ne semble pas fréquenter les zones montagneuses. Son nid est remarquablement bien fait, en forme de cône renversé et tissé avec des fibres, petites racines, mousse et toiles d'araignées. Les œufs sont de couleur crème, bariolés de brun. Les parents veillent tous deux sur les oisillons. La saison de reproduction diffère selon les régions : dans le nord de l'Inde, elle dure d'avril à juin, mais dans le sud elle commence en février. Le nid, placé sur une branche, se trouve entre 1,50 mètre et 12 mètres de haut, par exemple sur un gros manguier. Sa situation élevée assure sa protection.

Merle shama

Noms scientifiques : *Copsychus malabaricus* et *Kittacincla malabarica.* **Dimension :** longueur 25 cm. **Nidification :** nid en forme de coupe ; œufs verts à taches brunes. **Mœurs :** terricole pour son alimentation ; arboricole pour le reste ; timide et réservé. **Alimentation :** le plus souvent insectivore, mais aussi frugivore. **Habitat :** bois ou massifs de bambous en Inde, Indonésie et péninsule indochinoise.

Ci-dessus : le Merle shama est très apprécié pour sa beauté et son chant mélodieux.
Page ci-contre : un Turdidé exotique, la Grive indigo (Myophoneus caeruleus) vient de porter la becquée à ses petits. Le nid fait de boue séchée est situé sur un palmier.

Une règle presque générale chez les oiseaux veut que ceux qui sont de bons ou d'excellents chanteurs aient un plumage terne ou insignifiant. Le Merle shama, représentant asiatique de la vaste famille des Turdidés, répandue dans le monde entier, constitue une remarquable exception à cette règle. Tandis que les Turdidés de nos pays ont généralement des couleurs pâles, les représentants exotiques dont fait partie le Merle shama arborent une livrée aux couleurs vives.

Le Merle shama vit en Asie, de l'Inde à l'Indochine et à l'Indonésie. Il a été introduit aux îles Hawaii. On le rencontre habituellement dans les zones forestières, aussi bien en bordure des bois qu'au plus profond de ceux-ci ; il est également assez répandu dans les bois de bambous. Il est courant dans ces milieux, bien qu'il ait des habitudes réservées et refuse le voisinage de l'homme.

Selon les saisons, il se nourrit de fruits et d'insectes, mais a une préférence pour ces derniers.

Il construit son nid dans les buissons épais ou parmi les bambous ; ses œufs sont verdâtres, tachetés de brun et de rouge.

Bien qu'il soit plutôt craintif et ait des goûts difficiles en matière de nourriture, le Merle shama est souvent élevé en captivité à cause de son chant mélodieux et de son aptitude à imiter le chant des autres oiseaux. C'est à la fin du XIXe siècle qu'il a été importé en Europe. En cage, il vit souvent 12 à 15 ans.

Mime polyglotte

Nom scientifique : *Mimus polyglottos.*
Dimension : longueur 26 cm. **Nidification :** nid sur des buissons ; œufs verdâtres tachetés de brun. Oisillons nidicoles. **Mœurs :** oiseau solitaire. **Alimentation :** insectivore. **Habitat :** zones boisées, champs cultivés, savanes semi-désertiques du sud des États-Unis et de l'Amérique centrale ; fréquente également les zones habitées.

Le Mime rouge, ainsi que le Merle moqueur de Caroline, est un excellent chanteur et imite parfaitement le chant des autres oiseaux ainsi que les cris des animaux les plus variés. Il sait reproduire à la perfection le miaulement du chat, c'est pourquoi on l'appelle parfois « oiseau-chat ».

Le Mime polyglotte, que l'on appelle aussi Oiseau-moqueur, est l'un des représentants les plus connus de la famille des Mimidés, répandue surtout dans les zones tropicales d'Amérique. Les Mimidés n'ont pas de traits caractéristiques communs : beaucoup d'entre eux arborent un plumage voyant, tandis que d'autres sont beaucoup plus ternes. Par contre, ils ont un chant merveilleux, ce dont bien peu d'autres oiseaux des tropiques peuvent se prévaloir.
Le Mime polyglotte, en particulier, ne chante pas seulement pendant la saison des amours, mais presque toute l'année. En outre, comme le Merle noir européen, il chante tout le jour et modifie son chant mélodieux suivant que le soleil est plus ou moins haut. Il peut même imiter le chant des autres oiseaux, à condition qu'il ait entendu ceux-ci auparavant. Il s'agit en fait de l'un des meilleurs chanteurs de toute la gent ailée. Il est très populaire aux États-Unis, au point que cinq États de la Confédération (Alaska, Floride, Mississippi, Tennessee, Texas) l'ont choisi comme emblème.
Un trait remarquable de cet oiseau est le grand archarnement avec lequel il défend son territoire qui ne doit être violé par aucun autre mâle de l'espèce.
Son mode de nidification est assez simple. Il construit un nid robuste sur des branches basses ou dans des buissons épais. Le mâle et la femelle participent ensemble à toutes les phases de la

nidification, y compris l'incubation des œufs qui sont verdâtres et tachetés de rouge et de brun.

Aux États-Unis, le Mime polyglotte habite dans les régions buissonneuses et en bordure des bois, mais il fréquente également les zones habitées au point qu'il n'est pas rare de l'entendre chanter du haut d'une antenne de télévision. Plus au sud, au Mexique par exemple, il vit dans la savane de cactus géants et même dans des zones semi-désertiques.

Ses parents les plus proches de la même espèce vivent encore plus au sud et fréquentent les milieux arides, riches en buissons, appelés «campos», ainsi que le «cerrado», zone aux arbres bas, en partie caducifoliés. Ils ont tous des mœurs agressives et sont d'excellents chanteurs et imitateurs.

Les îles Galapagos sont célèbres pour leur faune particulière et les oiseaux qui y vivent sont sensiblement différents des autres ; ce Mimidé du genre Nesomimus, *qui ressemble tout à fait à une grive européenne, ne fait pas exception.*

Picatharte à tête jaune

Ce curieux oiseau à la tête totalement dépourvue de plumes, mais dont au contraire le reste du corps est bariolé, appartient à la famille des Timaliidés, mais est plutôt classé parmi les Picathartidés. En réalité, les deux seules espèces de Picathartes que l'on connaisse hantent toutes deux les zones forestières de l'Afrique équatoriale. Le Picatharte à tête jaune en particulier vit en Guinée, Sierra-Leone et au Togo, tandis que le Picatharte à tête rouge se trouve au Cameroun.

Le Picatharte chauve de Guinée est un oiseau terricole qui habite en général sur le sol de la forêt ombrophile, mais a une prédilection marquée pour les régions rocheuses (on le trouve en effet jusqu'à 2 000 m d'altitude). Cette préférence s'explique par le fait qu'il construit son nid dans les fissures des roches verticales, quelquefois à une certaine distance du sol, et le plus souvent au pied même de ces parois. Le nid est assez volumineux, fait de boue et d'éléments végétaux. Il ne pond en général que 2 œufs. Les nids sont disposés en colonies.

L'alimentation du Picatharte est assez variée, mais essentiellement carnivore : chenilles, vers de terre, escargots et même amphibiens qu'il peut facilement se procurer dans son milieu humide.

Les Picathartes vivent en groupes de quelques individus. Ils se déplacent de préférence par petits bonds, car leur vol est plutôt maladroit. Ils ont des mœurs tout à fait sédentaires.

Nom scientifique : *Picathartes gymnocephalus.* **Dimension :** longueur 35 cm. **Nidification :** nid de boue accroché dans les fissures des rochers, Oisillons nidicoles. **Mœurs :** oiseau modérément sociable, terricole, sédentaire. **Alimentation :** insectivore et carnivore. **Habitat :** zones rocheuses de la forêt tropicale de la Guinée, de la Sierra Leone et du Togo.

Ci-dessus : nid de Picatharte situé dans une cavité rocheuse et soigneusement tapissé de brindilles de paille.
Page ci-contre : le Picatharte à tête rouge préfère vivre par terre, mais est capable de voler sur les arbres et de nicher sur des parois rocheuses à pic.

Rossignol du Japon

Le Rossignol du Japon ou Leiothrix jaune n'est pas véritablement un rossignol. C'est en fait un membre asiatique de la famille des Timaliidés. Ce n'est pas non plus un oiseau du Japon. Il vit en réalité sur les pentes de l'Himalaya entre 1 500 et 3 000 m d'altitude, dans le sous-bois des forêts d'arbres à feuilles caduques, de bambous ou de conifères.

Son aire de distribution s'étend à l'est jusqu'en Chine septentrionale et au Tonkin.

Oiseau aux mœurs totalement sédentaires, il construit un nid de brindilles et de mousse sur des buissons, assez près du sol. Il pond 3 ou 4 œufs vert pâle, tachetés de petits points pourpre et brun.

Bien qu'il soit essentiellement insectivore, le Rossignol du Japon ne dédaigne pas les fruits sauvages et mange même certaines graines.

Il est très populaire comme oiseau de volière depuis le siècle dernier au cours duquel il a été importé du Japon (d'où son nom, impropre comme on l'a vu). Aujourd'hui, il se reproduit même en Europe, bien que quelques éleveurs en aient seuls le monopole.

Le Rossignol du Japon est un petit oiseau très sympathique : outre son chant (une phrase brève, « dite » plutôt rapidement, comme le fait en Europe la Fauvette à tête noire), sa mobilité permanente, due à la nécessité de rechercher de la nourriture, et la facilité avec laquelle il se laisse apprivoiser le rendent agréable.

Nom scientifique : *Leiothrix lutea*. **Dimension :** longueur 15 cm. **Nidification :** nid en forme de coupe. Couvée de 4 à 6 œufs. Oisillons nidicoles. **Mœurs :** vit solitaire ou en couples ; très actif. **Alimentation :** variée (insectivore, frugivore et même granivore). **Habitat :** sous-bois des forêts, buissons même en montagne, de l'Inde septentrionale, de Birmanie, du sud de la Chine et du Tonkin.

Page ci-contre : le Rossignol du Japon doit sa popularité comme oiseau de volière à son chant harmonieux et à son plumage aux vives couleurs. Ci-dessus : un autre spécimen de Rossignol du Japon.

Paradisier apode

Ci-dessus : Paradisier ou Manucode royal, le plus petit oiseau de cette famille et le plus coloré ; ses pattes elles-mêmes sont d'un bleu vif.
Page ci-contre : couple de Diphyllodes magnifiques. On peut noter la différence entre le mâle et la femelle, tant en ce qui concerne la couleur que la forme des plumes.

Les Paradisiers ou Oiseaux de paradis étaient déjà célèbres bien avant que les Européens ne s'y intéressent. Presque toutes les populations indigènes des îles les connaissaient, les considéraient comme les « oiseaux des dieux » et utilisaient souvent leurs plumes comme seul « vêtement ».

Le premier des 43 membres de cette extraordinaire famille à être connu dans l'ancien continent fut l'Oiseau de paradis grand-émeraude ou Paradisier apode (c'est-à-dire sans pattes), ramené au Portugal par les rescapés de la première expédition autour du monde. Leurs pattes coupées les firent considérer par les naturalistes de l'époque comme des créatures plus ou moins fantastiques. Ce n'est que quelques siècles plus tard, au XIXe siècle plus précisément, que l'on put observer des paradisiers dans leur milieu naturel et tenter d'en établir une classification qui, pour de curieuses raisons historiques, contribua à augmenter l'étrangeté de ce groupe. Frappés par l'extraordinaire beauté de ces oiseaux, les explorateurs leur donnèrent les noms des personnages les plus importants du pays d'où ils venaient. Il y eut ainsi le Paradisier du roi de Saxe, de l'archiduc Rodolphe, de la princesse Stéphanie et le Paradisier de la république ou Diphyllode. Comme on peut le constater, les savants faisaient assaut d'imagination pour trouver des noms appropriés à leurs patries respectives.

Le fait qu'on les connût scientifiquement ne servit guère aux

Ci-dessus : mâle du Paradisier de l'archiduc Rodolphe. Otto Finsch qui le découvrit, le dédia à l'archiduc Rodolphe de Habsbourg, mort à Mayerling dans des circonstances tragiques.

Page ci-contre : une des caractéristiques du Paradisier de l'archiduc Rodolphe est constituée par les deux plumes rectrices de la queue extraordinairement longues. Cette espèce se livre à une parade nuptiale très originale.

oiseaux eux-mêmes. Cela contribua plutôt à leur raréfaction, et presque à leur extinction pour beaucoup des plus belles espèces. En effet, pour satisfaire les exigences de la mode occidentale de cette époque, très fantaisiste et baroque, les dépouilles des oiseaux de paradis étaient très recherchées sur les marchés européens. Exposer dans son salon un oiseau de paradis empaillé était un véritable sujet d'orgueil. Les indigènes ne les chassaient plus seulement pour eux-mêmes, mais aussi pour en faire le commerce. Bien que ces oiseaux aient été protégés à temps, un autre péril les menace aujourd'hui : la destruction des zones boisées qui constituent leur habitat et qui sont irremplaçables. Le Paradisier apode vit en effet, comme tous ses parents, dans les merveilleuses forêts toujours vertes de Nouvelle-Guinée et des îles avoisinantes, en pleine zone tropicale.

Il est impossible de décrire en quelques lignes les plumages fantastiques qu'arborent les mâles des différentes espèces d'Oiseaux de paradis. Les photographies reproduites dans ces pages sont plus éloquentes que toute description.

Par contre, il serait intéressant de pouvoir expliquer cet extraordinaire étalage de couleurs ainsi que la forme des plumes ornementales, allongées, frisées ou étrangement découpées. Il semble que l'on puisse en rechercher la raison dans les mœurs sexuelles des paradisiers : à la saison des « amours », les mâles de toutes les

Ci-dessus, à gauche : Paradisier apode mâle perché sur une branche.
Ci-dessus, à droite : Paradisier de Raggi femelle, l'un des plus beaux oiseaux existants.

Page ci-contre : encore un Paradisier apode mâle sur le point de commencer sa parade nuptiale compliquée, faite de pantomimes indescriptibles.

espèces connues ne pensent qu'à s'exhiber à la cime d'un arbre ou sur une branche bien en vue. (L'accouplement réalisé avec la ou les femelles de leur choix, ils se désintéressent d'ailleurs totalement du sort de leur partenaire et de leur descendance.) Du fait de l'exceptionnelle coloration des mâles — en cela ils sont totalement différents des femelles, on a pensé qu'à l'origine il y avait une certaine confusion de la part des femelles — qui se trompaient souvent de mari, ou ne le cherchaient pas parmi les mâles de leur espèce. Et comme la nature dans ces cas-là est très sévère, punissant de stérilité complète les pauvres petits « bâtards », il s'est produit une extrême différenciation de livrées, de telle sorte que les femelles ne puissent plus commettre d'erreurs.

Mais, même si tel est le motif de ce grand étalage de couleurs et de formes, on peut penser que les oiseaux de paradis sont allés un peu au-delà du but recherché. Non seulement ils se sont différenciés par leur plumage, mais encore les mâles des diverses espèces, et

Ci-dessus : ce magnifique Diphyllode mâle va commencer sa parade nuptiale en levant les plumes caractéristiques dont il est doté.

Page ci-contre : Paradisier apode mâle en vol. Ses plumes, surtout les plumes spéciales allongées et soyeuses, sont utilisées comme ornements par les Papous.

du Paradisier apode en particulier, exécutent une parade nuptiale absolument hors du commun, étalant leurs ailes en éventail ou leurs autres plumes spéciales ; certains se pendent aux branches la tête en bas.

Après l'accouplement, les femelles, s'occupent seules de construire le nid dans quelque coin de la forêt et d'y élever leurs petits. Les deux œufs sont brun fauve avec des stries longitudinales marron et brun noir. Ils mesurent environ 39,4 × 27,4 millimètres. La femelle du Paradisier apode porte un plumage d'un brun vineux dont la tonalité devient plus foncée sur la tête et le haut de la poitrine ; ses yeux ont la même couleur jaune citron que ceux du mâle.

Oiseau-satin

L'Oiseau-satin appartient à la famille dite des « Oiseaux-jardiniers » et jamais nom ne fut mieux porté. En fait, si l'on se donne la peine d'observer attentivement ces ingénieux oiseaux, et de leur reconnaître le mérite de tout ce qu'ils savent faire, il conviendrait de les appeler plutôt « oiseaux-décorateurs ». L'activité caractéristique et tout à fait singulière de ce groupe d'oiseaux australiens consiste en effet à construire de très curieux enclos, cabanes ou tonnelles, ornés d'objets colorés, cela pour attirer les femelles qui en un second temps s'occupent de la réalisation du nid proprement dit.

Certains Oiseaux-jardiniers aménagent une grande cabane au toit pointu et à l'entrée entourée d'une palissade, mais l'Oiseau-satin construit une tonnelle, c'est-à-dire une hutte à toit plat, soutenue par une armature compliquée, le tout réalisé avec des brindilles assez fines. Il termine en décorant avec de nombreux objets hétéroclites, mais tous d'une même couleur. Chaque mâle a, en effet, une préférence pour une teinte particulière et recherche invariablement tous les objets de cette couleur. De plus, l'Oiseau-satin mâle enduit littéralement, au moyen d'un morceau d'écorce, l'intérieur de la cabane de couleurs naturelles, allant du vert au bleu ou au noir selon les matériaux utilisés, qu'il pétrit avec de la salive. Bien qu'il ne s'agisse pas d'un cas isolé, nous sommes certainement ici en présence de l'un des rares exemples, dans le monde animal, où un oiseau utilise un outil dans un but aussi précis.

Nom scientifique : *Ptilonorhynchus violaceus*. **Dimension :** longueur 32 cm. **Nidification :** nid construit par la femelle sur des arbres élevés dans lequel elle pond 1 à 3 œufs à rayures irrégulières. **Mœurs :** oiseau solitaire, arboricole, sauf les mâles à la saison des amours. **Alimentation :** surtout fruits, parfois insectes. **Habitat :** brousse, zones très boisées, vergers de l'Australie orientale.

Page ci-contre : Oiseau-satin mâle devant sa tonnelle.
Ci-dessus : Oiseau-chat vert mâle. Ce proche parent de l'Oiseau-satin vit en Australie et dans les îles Aru.

Un autre oiseau-jardinier, l'Oiseau à
berceau (Chlamydera) *capable de
construire des cabanes de grandes
dimensions. Bien que peu nombreux,
les Oiseaux à berceau sont mal
considérés par les agriculteurs à cause
des véritables ravages qu'ils
provoquent dans les vergers.*

L'Oiseau-satin est assez commun dans les forêts humides, depuis le
niveau de la mer jusqu'à 1 000 mètres d'altitude. Il fréquente aussi
des milieux plus ouverts, par exemple des jardins dans les
faubourgs de Sydney. Il doit son nom aux reflets violets et pourpres
de ses plumes noires, mais la femelle porte un costume gris
verdâtre.

L'Oiseau-satin n'a pas un chant harmonieux : il n'émet que
quelques notes stridentes.

Il est par ailleurs mal vu des agriculteurs locaux, car sa gourmandise lui fait piller systématiquement les vergers. Il se nourrit
également d'insectes et de baies sauvages.

Geai inca

On peut distinguer deux groupes bien différents dans la vaste famille des Corvidés répandue dans le monde entier, depuis le cercle polaire arctique jusqu'à l'équateur : les corbeaux proprement dits, qui sont presque tous complètement noirs, et les pies et les geais qui sont bien plus vivement colorés.

Le voyant Geai inca, répandu dans toute l'Amérique centrale mais aussi au Venezuela, en Bolivie et en Colombie, ne constitue donc pas une exception. Comme la plupart des oiseaux de cette famille, il est totalement sédentaire.

Cette espèce fréquente exclusivement les forêts, mais évite cependant la véritable forêt humide tropicale. Il se trouve particulièrement dans son élément sur les flancs des montagnes entre 1 000 et 2 000 mètres d'altitude.

Le Geai inca vit en couples ou en petites colonies familiales et a des mœurs assez secrètes en ce sens qu'il se tient habituellement dans l'épaisseur du feuillage ; il se pose à terre pour rechercher n'importe quel type de nourriture végétale ou animale. Ce geai dérobe souvent, pour les manger, les œufs d'autres oiseaux de la forêt, qui de ce fait le craignent beaucoup. La patience et la ruse dont il fait preuve pour y parvenir sont proverbiales. Une espèce voisine, qui vit au Mexique, fait preuve d'une sociabilité remarquable, puisque les oisillons sont nourris par tous les membres du groupe, qui compte de 8 à 20 individus.

Nom scientifique : *Cyanocorax yncas.* **Dimension :** longueur 32 cm. **Nidification :** nid grossier sur des arbres élevés. Oisillons nidicoles. **Mœurs :** modérément sociable, vit sur les arbres mais se pose à terre pour se nourrir. **Alimentation :** essentiellement omnivore (se nourrit aussi des petits d'autres oiseaux). **Habitat :** forêts tropicales d'Amérique centrale et du Sud.

Ci-dessus : deux spécimens du magnifique Geai inca qui vit, sédentaire, en Amérique centrale et du Sud.
Page suivante : Pie de Chine aux couleurs éclatantes, mais aux mœurs semblables à celles de la Pie européenne.

Ménure superbe

Le Ménure superbe ou Oiseau-Lyre peut être considéré comme un des miracles que la nature a su créer sous les tropiques, en raison de la beauté du plumage des mâles et de leur talent d'imitateur.

La famille des Ménuridés (à laquelle appartiennent les Oiseaux-Lyres) comprend deux espèces que l'on ne rencontre qu'en Australie : l'Oiseau-Lyre commun et l'Oiseau-Lyre du prince Albert. Ce dernier est un peu plus petit et a une répartition plus septentrionale.

Outre la caractéristique liée à leur nom (à savoir la magnifique queue dont la forme rappelle la lyre d'Orphée), les Ménuridés ont un chant bien plus beau que celui de tous les autres oiseaux ; ils peuvent d'autre part imiter les appels de tous les hôtes ailés de la forêt australienne. On a pu remarquer d'ailleurs, aussi bien chez les individus en captivité que chez ceux qui vivent en liberté, une étonnante habileté à reproduire tous les sons qui excitent leur fantaisie, depuis l'aboiement du chien jusqu'à la voix humaine, ainsi que tout bruit artificiel tel le vrombissement d'un moteur par exemple. Le chant permet au mâle de signaler sa présence à ses voisins ainsi qu'aux femelles. Les imitations qui y sont incorporées facilitent la distinction des différents individus. Le Ménure superbe se reproduit en hiver et comme à cette saison les espèces qu'il contrefait sont silencieuses, son chant porte plus loin et contraste mieux avec celui des autres oiseaux. La voix du Ménure est

Nom scientifique : *Menura novaehollandiae*. **Dimension :** longueur mâle 1 m, y compris la queue. **Nidification :** confiée à la femelle qui construit seule le nid et élève l'unique oisillon. **Mœurs :** essentiellement terricole, solitaire et sédentaire ; les mâles sont probablement polygames. **Alimentation :** omnivore. **Habitat :** forêt vierge et brousse épaisse du nord-est de l'Australie.

Le Ménure superbe mâle vu de dos pour mieux mettre en évidence la magnificence des plumes de la queue pendant la parade nuptiale.

67

Ci-dessus : pendant la parade, le Ménure superbe est très nerveux et ne cesse de gratter le sol, ce dont profite un petit oiseau qui cherche des insectes dans la terre remuée par les robustes pattes du Ménuridé.

Page ci-contre : une autre belle image de la parade nuptiale du Ménure superbe mâle. Celui-ci a débarrassé le sol des feuilles et l'a aplani pour mieux mettre en valeur ses mouvements.

puissante puisqu'elle peut porter jusqu'à 1,5 kilomètre. L'Oiseau-Lyre a été introduit en Tasmanie en 1934 et s'y est bien acclimaté.

Le Ménure superbe vit dans les forêts les plus denses et les lieux couverts d'épais buissons, car il est de nature timide et préfère rester toujours caché. En cas de danger, il court très vite et ne prend pas son vol.

À l'époque des amours, le mâle choisit avec minutie une petite clairière qu'il débarrasse avec application de toutes feuilles ou brindilles et où il amasse un monticule de terre. Son proche parent, l'Oiseau-Lyre du prince Albert, préfère au contraire creuser une petite fosse. Puis le mâle commence sa parade nuptiale, pantomime savante accompagnée d'un torrent de notes mélodieuses. C'est alors qu'il déploie, ou plutôt incline au-dessus de son dos vers l'avant, sa merveilleuse queue faite de deux plumes latérales, recourbées en forme de lyre, et de plumes centrales blanches et vaporeuses comme le montrent les illustrations de ces pages.

On n'a pu vérifier avec certitude si le mâle est ou non polygame. Il est cependant certain que la femelle se charge seule d'élever le jeune après avoir construit un gros nid compliqué, avec un toit et une entrée latérale, et orné de ses propres plumes. Ce nid est placé sur le sol ou sur une souche d'arbre. Elle y pond un seul gros œuf de couleur gris foncé tacheté de noir. Le petit éclôt nu comme celui de nombreux Passériformes et est nourri par la femelle.

Manakin à dos bleu

Nom scientifique : *Chiroxiphia lanceolata*. **Dimension :** longueur 13 cm. **Nidification :** nid construit par les seules femelles ; mâles polygames. Oisillons nidicoles. **Mœurs :** oiseau forestier, grégaire à l'occasion. **Alimentation :** insectivore. **Habitat :** zones couvertes de végétation arbustive dans les forêts de l'Amérique centrale, du Venezuela, de la Colombie.

Manakin à dos bleu mâle. Il se caractérise par les deux plumes rectrices très allongées de sa queue.

Le Manakin à dos bleu est un représentant typique et charmant d'une famille tropicale américaine, présente dans les forêts de ce continent : la famille des Pipridés.

Il s'agit d'oiseaux de petite taille qui passent leur temps à voleter en groupes peu nombreux, à la recherche de leur mets favori : les insectes ; ils ne dédaignent cependant pas les baies. Tout comme les Formicariidés, les Manakins suivent les colonnes de fourmis légionnaires qui se déplacent dans la forêt, cela afin de prendre plus facilement les insectes en fuite devant ces hordes destructrices. Pour parvenir à leur but, ils se sont spécialisés dans la capture des insectes qui échappent aux fourmis en grimpant sur les troncs d'arbres.

Les mœurs sexuelles du Manakin à dos bleu sont assez originales, bien qu'elles soient proches de celles de beaucoup de membres de la même famille. Le mâle est en fait polygame et attire les femelles, sur une plate-forme soigneusement préparée, par une gracieuse parade nuptiale qui lui permet de mettre en valeur ses plumes colorées : il bat des ailes, vole même d'avant en arrière, tout en émettant des sons et des claquements dont l'origine n'a pu encore être déterminée. Les femelles demeurent presque toujours à proximité du territoire de parade du mâle pour y construire un petit nid d'herbes tressées en forme de nacelle. Elles s'occupent ensuite, toujours seules, d'élever les oisillons (elles ne pondent que 2 œufs).

Ci-dessus : spécimen de Manakin à dos bleu mâle. Comme tous ses congénères, il vit dans les forêts tropicales, plus précisément dans les buissons du sous-bois.

À gauche : les Manakins mâle et femelle ont un plumage fort différent. La parade nuptiale du mâle, qui est polygame, est très compliquée et se déroule à terre.

71

Brève indienne

Nom scientifique : *Pitta brachyura.*
Dimension : longueur 19 cm. **Nidification :** nid à la fourche des branches d'arbres ; œufs blancs tachetés de brun. **Mœurs :** oiseau solitaire et timide, terricole ; les races vivant le plus au Nord migrent vers le Sud. **Alimentation :** insectivore. **Habitat :** sous-bois de toute l'Asie tropicale jusqu'au Japon.

Ci-dessus : spécimen de Brève rayée aux plumes chatoyantes. Malgré sa forme trapue et sa courte queue, cet oiseau est très voyant, en raison de la coloration de ses plumes. Page ci-contre : Brève indienne aux vives couleurs.

Les Brèves sont des oiseaux quelque peu ridicules, du moins aux yeux de l'homme, car elles ressemblent à des poussins qui n'auraient pas grandi. Elles mènent une vie tranquille sur le sol de toutes les forêts des régions tropicales asiatiques. Deux espèces ont atteint l'Afrique ; une autre, la Brève indienne, est même parvenue jusqu'au Japon.

Les brèves sont toutes très colorées, bien qu'elles vivent dans un milieu plutôt obscur. Lorsqu'elles marchent sur le sol ou sont juchées sur un perchoir, leur corps court et rondelet, porté par des pattes très longues, les font paraître gauches et un peu prétentieuses. Mais en vol, surtout lorsque la lumière du sous-bois fait luire de mille reflets les couleurs de leur plumage, elles ressemblent alors véritablement à de splendides joyaux volants.

La Brève indienne est presque exclusivement insectivore, bien qu'elle se nourrisse aussi de vers et d'escargots. Elle préfère courir plutôt que voler, comme tous les oiseaux des sous-bois.

Le nid, bien tissé au moyen de radicelles et de mousse, est construit à la fourche des branches basses. Il semble que la femelle, si elle est effrayée, s'éloigne du nid après l'avoir recouvert de feuilles fraîches. Les œufs sont blancs et tachetés de brun. L'époque de la nidification est très différente selon les espèces. La Brève qui vit au Japon se reproduit au printemps, celle des tropiques, au contraire, fait son nid en hiver, à la saison des pluies.

Coq de roche du Pérou

Nom scientifique : *Rupicola peruviana*. **Dimension :** longueur 30 cm. **Nidification :** nid construit de boue et de salive dans des abris rocheux par la femelle. **Mœurs :** oiseau sédentaire, terricole, mais se posant aussi sur les arbres et les roches. **Alimentation :** insectes et fruits. **Habitat :** régions rocheuses boisées et buissonneuses du Venezuela, de Colombie, d'Équateur, du Pérou et de Bolivie.

Beau spécimen de Coq de roche du Pérou à la crête caractéristique. Comme tous les Cotingidés, cet oiseau, qui vit sur les versants des Andes, fréquente les forêts tropicales d'Amérique.

Les Cotingidés forment une vaste famille d'oiseaux tropicaux d'Amérique. Pour ne pas faire mentir la renommée des oiseaux des plus chaudes régions du globe, la nature semble avoir donné libre cours à sa fantaisie en les dotant de formes extrêmement bizarres et variées. Elle ne s'est pas limitée aux plumes, mais les a parés de toutes sortes d'ornements : barbes, caroncules, huppes rondes qui se gonflent et retombent en pendeloques, etc.

Les Cotingidés sont des oiseaux typiquement forestiers ; contrairement à beaucoup d'autres, ils préfèrent rester perchés à la cime des arbres et se nourrir de fruits mûrs. Le nom de la famille vient d'un mot de la langue des Indiens d'Amazonie. Ils appelaient en effet « cotinga » l'oiseau que les savants ont baptisé « Oiseau-cloche » à cause du timbre aigu de sa voix. L'Oiseau-cloche ou Araponga est, entre autres particularités, l'un des rares oiseaux blancs qui vive dans les forêts tropicales.

L'Oiseau-ombrelle ou Céphaloptère est également digne d'être mentionné. Pendant sa parade nuptiale, il étend ses rémiges exactement comme une petite ombrelle. De plus, certains possèdent sur le cou une poche volumineuse qu'ils peuvent gonfler à volonté.

La nidification est également très différente selon les espèces. La plupart des Cotingidés construisent leur nid sur des branches à découvert, tandis que certaines espèces dites « tityres » recherchent les nids de pics abandonnés qu'elles disputent à d'autres « squat-

ters » comme les toucans ; parfois elles chassent même tout simplement les propriétaires légitimes.

Dans ce groupe d'oiseaux d'aspect, de forme et de comportement variés, les Coqs de roche ne font pas exception. On en connaît deux espèces, dont l'une est le Coq de roche du Pérou, ainsi appelé du fait de sa présence dans les Andes. En réalité, cette espèce a un habitat très vaste qui s'étend de la Colombie au Venezuela, de l'Équateur à la Bolivie et au Pérou.

Le Coq de roche vit dans les forêts, mais exclusivement dans des zones rocheuses, de préférence escarpées et proches de cours d'eau. C'est un oiseau essentiellement terricole et qui se nourrit soit de fruits, soit d'insectes.

La femelle construit seule son nid avec de la boue et de la salive, sur une roche à pic. C'est elle seule encore qui s'occupe d'élever ses petits. Les mâles s'estiment sans doute trop beaux pour s'abaisser à de telles tâches.

Coq de roche tout à fait semblable au précédent, sauf en ce qui concerne la couleur car il porte de nombreuses rayures jaunâtres. Cette espèce répandue en Guyane, au Venezuela, en Colombie et en Amazonie vit elle aussi de préférence dans les régions montagneuses.

Grallaire

Nom scientifique : *Grallaricula ferrugineipectus*. **Dimension :** longueur 12 cm. **Nidification :** nid sur des branches basses, œufs blancs tachetés. Oisillons nidicoles. **Mœurs :** oiseau terricole, sédentaire, occasionnellement grégaire. **Alimentation :** insectes et surtout fourmis. **Habitat :** sous-bois des forêts humides du Venezuela, de Colombie et du Pérou.

La Grallaire ressemble d'une certaine façon aux Brèves. Elle appartient en réalité à la famille des Formicariidés, oiseaux américains qui se nourrissent d'insectes, tout particulièrement de fourmis.

La grande étendue des forêts tropicales américaines et l'extrême diversité des invertébrés ont pour conséquence une abondance tout aussi considérable d'espèces aviennes qui se sont spécialisées dans la capture d'un groupe particulier d'insectes, comme la grande famille des Formicariidés dont le nom est par lui-même assez explicite. En réalité, les fourmiliers, voisins des grallaires, ne se nourrissent pas uniquement de fourmis, mais bien plutôt des insectes qui fuient devant les colonnes de fourmis-guerrières. Ils profitent donc du passage de celles-ci ou les accompagnent durant leurs raids dans la jungle.

Parmi les 221 espèces qui composent cette famille exclusivement américaine, on trouve des oiseaux qui ressemblent aux pies-grièches, aux pies ou aux brèves.

La Grallaire fait partie d'un groupe assez nombreux de petits oiseaux de la forêt qui vivent de préférence à terre. L'espèce est répandue au Venezuela, au Pérou et en Colombie et se rencontre essentiellement dans les forêts humides.

Tout comme les Brèves, elle a des mœurs réservées et une nature timide. Son appareil vocal est très primitif; elle ne produit donc que peu de sons, mais ceux-ci peuvent porter à de grandes distances.

Le nid est construit sur des branches basses et les deux parents s'occupent ensemble des petits. Les œufs sont d'un blanc sale avec quelques petites taches.

Jacamar à queue rousse

Le Jacamar à queue rousse est l'un des plus typiques représentants d'une famille d'oiseaux américains apparentés aux pics mais dont les mœurs rappellent celles des guêpiers de l'Ancien Monde.

Il ne vit pas véritablement dans les forêts, mais préfère en fait rester aux lisières des bois dans des régions aux arbres isolés, notamment les forêts secondaires. On peut également le rencontrer dans les palmeraies. Il passe le plus clair de son temps perché sur des branches, guettant le passage de quelque gros insecte qu'il rejoint alors d'un vol rapide et saisit de son long bec pointu. Il semble avoir une préférence pour les papillons (qui sont plus faciles à capturer à cause de leur grande taille), mais il prend soin de leur arracher les ailes pour n'avaler que le corps.

Le Jacamar à queue rousse est assez largement répandu : on le rencontre sur toute la bande tropicale sud-américaine, depuis la Colombie jusqu'au Paraguay et à l'Argentine.

Oiseau peu timide et qui aime assez se mettre en valeur, le Jacamar reste donc perché sur les hautes branches des arbres dans l'attente des proies qui passent en volant et qu'il rattrape avec la rapidité d'une flèche.

Quand vient le temps des amours, le Jacamar creuse un tunnel dans le sol, mais le plus souvent dans des escarpements de terrains sableux. Au fond de ce terrier, qui peut atteindre jusqu'à 60 centimètres de longueur, il construit une petite chambre dans laquelle la

Nom scientifique : *Galbula ruficauda.*
Dimensions : longueur 26 cm, dont 5 cm pour le bec. **Nidification :** niche dans des terriers sur des escarpements de terre ; œufs blancs. Oisillons nidicoles. **Mœurs :** oiseau solitaire, arboricole et sédentaire. **Alimentation :** insectivore. **Habitat :** bordure des forêts, savane à arbres élevés, forêts secondaires de toute l'Amérique du Sud et centrale.

Le Jacamar à queue rousse est un oiseau très coloré, apparenté aux pics. Il ne vit que dans les forêts d'Amérique. Cet oiseau se nourrit d'insectes et capture ses proies en vol, de son long bec pointu.

*À gauche : un Jacamar à bec blanc.
À droite : un Jacamar porte de la
nourriture à ses petits dans leur nid,
étroit terrier creusé par le mâle et la
femelle dans des talus, et dont l'entrée
est peu visible.*

femelle pond ses œufs ; ceux-ci sont blancs, et pas tout à fait ronds. La nidification s'étend d'avril à juin, période automnale dans l'hémisphère austral.

Comme tous les petits du groupe des Pics, les oisillons du Jacamar naissent complètement nus. Ce n'est qu'au bout de quelques jours que les plumes commencent à pousser dans de petites gaines cornées qui leur donnent l'air d'être couverts de piquants, mais les protègent d'une usure précoce et de la saleté existant dans le nid, les parents négligeant en effet de débarrasser celui-ci, des excréments de leurs progénitures. A leur sortie du nid, leurs plumes sont tout à fait développées et colorées, et ils sont prêts à suivre les adultes dans la chasse acrobatique qu'ils font aux spectaculaires papillons de leur habitat.

Barbu de Richardson

Cet oiseau aux vives couleurs appartient à un groupe plus vaste comprenant également les véritables pics et répandu dans la zone tropicale américaine. Le Barbu de Richardson vit au Brésil, au Pérou et dans les Andes, en Colombie.

Cet oiseau totalement sédentaire se rencontre aussi bien dans les forêts que dans les lieux couverts de buissons. Il semble plutôt stupide et lent dans ses mouvements.

Le Barbu se nourrit de fruits et d'insectes qu'il recherche patiemment parmi le feuillage des arbres où il demeure en permanence. Il lui arrive pourtant parfois de quitter soudain la branche sur laquelle il semble somnoler et de saisir une proie en vol. Sa parenté avec le pic apparaît au moment de la nidification. En effet, le Barbu est l'un des rares oiseaux qui réussisse à creuser un nid dans le tronc pourri d'un arbre, bien qu'il ne possède pas la force d'un pic.

On n'a guère de détails sur l'époque de la nidification de ce Barbu car les troncs qu'il choisit sont totalement inaccessibles et les nids eux-mêmes encore davantage. On sait cependant que les œufs sont blancs et que les petits restent assez longtemps dans leur nid, soignés par les deux parents. Sauf pendant cette période, les Capitonidés en général, et ce Barbu en particulier, sont des oiseaux tout à fait solitaires qui ne se groupent que rarement, pour rechercher leur nourriture ou se reposer.

Nom scientifique : *Eubucco richardsoni.* **Dimension :** longueur 19 cm. **Nidification :** trous creusés dans le bois mort ; œufs blancs. Oisillons nidicoles. **Mœurs :** oiseau sédentaire, solitaire et arboricole. **Alimentation :** insectes et leurs larves. **Habitat :** forêts et régions buissonneuses avec de grands arbres de Colombie, du Pérou et du Brésil.

Barbus de Richardson, mâle et femelle, aux couleurs fort différentes. Il s'agit d'un trait caractéristique de presque tous les représentants de cette famille qui ne se rencontre qu'en Amérique.

Barbu à gorge bleue

Nom scientifique : *Megalaima asiatica*. **Dimension :** longueur 22 cm. **Nidification :** dans des cavités qu'il creuse lui-même ; œufs blancs. Oisillons nidicoles. **Mœurs :** oiseau sédentaire, arboricole et généralement solitaire. **Alimentation :** insectes et larves. **Habitat :** forêts, mais aussi bois et arbres proches des villages de l'Inde, de la Birmanie et de la péninsule indochinoise.

Ci-dessus : un Barbu à double griffe, ainsi appelé à cause de son bec aux bords dentelés et des vibrisses implantées à la base du bec.
Page ci-contre : le Barbu à gorge bleue vit dans les régions tropicales d'Asie.

Le Barbu d'Asie à gorge bleue est un oiseau aux très vives couleurs que l'on trouve assez couramment dans la forêt en général, mais aussi dans les villages indigènes où il lui arrive de nicher sur les maisons. Bien qu'il ait des mœurs résolument solitaires, ce Barbu se trouve parfois en petites colonies. Il se différencie légèrement des autres membres de la famille qui sont exclusivement frugivores, car, ainsi que le Barbu de Richardson il se nourrit aussi d'insectes et plus particulièrement de larves.

Les barbus sont des oiseaux assez querelleurs ; ils n'aiment pas être dérangés dans leur quête de nourriture qui se déroule toujours dans les arbres. Leur chant est monotone et répété à l'excès ; il se compose de cris stridents dont le son métallique leur a valu les surnoms d'« oiseau-rétameur » et d'« oiseau-chaudronnier ».

Les barbus comptent parmi les rares oiseaux, à part les pics très spécialisés, qui réussissent à creuser leur nid dans le tronc des arbres. Leur bec n'a pas la robustesse de celui de leurs congénères et ils se contentent de creuser les bois pourris. Ils utilisent en général le même nid pendant plusieurs années et y pratiquent parfois une entrée supplémentaire.

Les œufs sont blancs. Les oisillons éclosent inaptes au vol et les adultes doivent les élever pendant assez longtemps.

Les barbus ne vivent pas seulement en Amérique et en Asie, ils fréquentent également les zones tropicales africaines.

Toucan toco

Nom scientifique : *Ramphastos toco.*
Dimensions : longueur 63 cm, dont 20 cm pour la queue. **Nidification :** dans des cavités existantes ; œufs blancs. Oisillons nidicoles. **Mœurs :** sédentaire, il abandonne rarement la cime des arbres ; vit en solitaire ou en groupes familiaux. **Alimentation :** omnivore ; une préférence pour les fruits. **Habitat :** régions boisées, plantations de toute l'Amérique du Sud tropicale.

Ci-dessus : le Toucan des Andes est un autre représentant de la famille des toucans aux couleurs particulièrement vives.
Page ci-contre : un petit toucan appelé Aracari à tête frisée. Cet oiseau a une partie du globe oculaire colorée de sorte que la pupille semble ovale et non pas ronde.

Parler des toucans sans décrire aussitôt leur énorme bec semblerait presque faire injure à cette merveille de la nature. En effet, le bec du toucan, comme celui de tous les représentants de cette famille, est vivement bigarré mais c'est surtout un chef-d'œuvre de la nature par sa légèreté due à sa structure alvéolaire. Cette perfection n'est même pas altérée par la présence des narines comme c'est le cas chez tous les autres oiseaux, les deux trous des narines du toucan s'ouvrant exactement à la base du bec. Même la langue est digne d'intérêt : elle est formée d'un long « tube » portant sur la pointe une série de soies dirigées vers l'avant qui lui servent à saisir les proies les plus minuscules.

Malgré un bec aussi voyant et robuste, le toucan est d'une extrême délicatesse en ce qui concerne sa nourriture. Il n'avale jamais de bouchées trop grosses et déchiquette avec soin les fruits dont il se nourrit. S'il saisit un Coléoptère ou un gecko, il le frappe violemment contre la branche sur laquelle il se tient jusqu'à ce qu'il meure. Aliments végétaux ou animaux sont ensuite élégamment lancés dans les airs et saisis au vol pour être mieux avalés.

Avec ce bec, le toucan peut tout : boire dans le creux des feuilles d'une broméliacée, saisir un petit insecte au fond du calice d'une fleur, voler les œufs du nid pendant d'un Cassique, etc.

Le bec du Toucan toco sert aussi d'arme défensive menaçante, mais seulement contre des ennemis peu agressifs ou qui se laissent

Le Toucan toco est parmi les plus grands représentants de la famille. Agressif et bruyant, il erre dans la forêt en quête de proies variées. Comme d'autres espèces voisines, c'est un oiseau de volière très apprécié.

impressionner, car il n'est pas assez robuste pour pouvoir soutenir une lutte à mort. Mais cela, les autres oiseaux ne le savent pas.

Le Toucan toco est l'un des plus gros représentants de la famille des toucans et vit dans une vaste région couvrant le Brésil et l'Argentine et allant jusqu'en Guyane. Son milieu favori est la forêt, mais avec une préférence plus marquée pour les bois découverts, les bouquets de palmiers et les plantations.

Il fait son nid dans des trous déjà existants, creusés par les gros pics. Ses œufs sont blancs. Avant de les pondre, la femelle nettoie la cavité qu'elle a adoptée, et n'y laisse que de menus copeaux. Aucun matériau n'est apporté. Les œufs sont pondus à l'intervalle d'un jour et l'incubation commence après la ponte du dernier. Ils

mesurent 40 × 29 millimètres et sont couvés par les deux adultes. À l'éclosion, les jeunes sont complètement nus et aveugles. En outre, ils possèdent, comme les jeunes pics, des callosités au niveau des talons. Ces excroissances protègent sans doute l'articulation qui frotte continuellement contre le bois.

De nature sociable, les toucans se rassemblent souvent en groupes sur la cime des arbres et, quand ils ne sont pas occupés à chercher des aliments, ils aiment jouer entre eux à coups de bec. C'est d'ailleurs une des raisons pour lesquelles le toucan est plutôt populaire comme oiseau de volière, aussi bien chez les indigènes qu'en Europe où il atteint des cotes assez élevées. Il est plutôt exigeant en matière de nourriture car il aime la variété.

Un autre Aracari à tête frisée, très coloré même sur le bec. Cette espèce qui vit dans les forêts de Bolivie, du Brésil et du Pérou fait son nid et dort dans les trous d'arbres, la queue repliée sur le dos.

Pic blanc

Nom scientifique : *Leuconerpes candidus*. **Dimension :** longueur 27 cm. **Nidification :** dans des trous d'arbres ; œufs blancs. Oisillons nidicoles. **Mœurs :** oiseau sédentaire et erratique ; vit parfois en petits groupes ; arboricole, parfois terricole. **Alimentation :** insectes, spécialement larves. **Habitat :** savane boisée, zones buissonneuses découvertes, « cerrado » de toute l'Amérique du Sud tropicale.

Ci-dessus : le Pic blanc est l'un des rares oiseaux de la forêt tropicale ayant un plumage de cette couleur. Page ci-contre : un exemple de Pic, le Colapte rosé, s'apprêtant à pénétrer dans une cavité qu'il a lui-même creusée dans un arbre.

Unique exception dans la famille des Pics, et également parmi le grand nombre des oiseaux tropicaux, ce pic américain a un plumage à dominante blanche.

Comme tous les pics, il mène une existence essentiellement arboricole et, grâce à ses griffes aiguës et crochues, grimpe verticalement aux arbres en prenant appui sur les plumes de sa queue.

On le rencontre rarement dans les forêts à grands arbres. Ce pic aime plutôt les zones découvertes, ce que l'on appelle les « campos » et également le « cerrado », qui est un manteau végétal constitué d'un enchevêtrement très dense d'arbres bas et tortueux, de buissons et de hautes herbes. Sa distribution va de l'Argentine au Brésil, au Paraguay, à la Bolivie.

Insectivore par définition, le Pic blanc se nourrit de préférence de larves du bois ; il se distingue considérablement de ses semblables, en général solitaires, car on a pu voir des petits groupes de Pics blancs travailler à déterrer ou détruire les nids d'une abeille sans aiguillon répandue dans leur habitat et qui fait son nid sous la terre ou sur les arbres.

Il niche dans les trous qu'il a lui-même creusés dans les arbres. Certains de ses parents font ce berceau dans les nids de terre des termites et des fourmis (si ceux-ci sont situés sur des branches d'arbres), sans que leurs occupants les attaquent.

Momot à diadème bleu

Nom scientifique : *Momotus momota.*
Dimensions : longueur 40 cm, dont 4 cm pour le bec. **Nidification :** nid creusé dans la terre. Œufs blancs, légèrement ovales. Oisillons nidicoles. **Mœurs :** oiseau solitaire et sédentaire ; arboricole. **Alimentation :** insectivore, frugivore. **Habitat :** forêts et zones buissonneuses de toute l'Amérique tropicale.

Momot roux mâle. Le Momot à diadème bleu a le corps vert olive et porte une tache noire sur la gorge ; sa tête semble noire avec une marque bleu cobalt sur son sommet.

Le Momot à diadème bleu ou Grand Momot est un représentant très coloré d'une autre famille d'Amérique du Sud, celle des Momotidés, qui ne comprend que 8 espèces. Le trait le plus caractéristique du Momot est la queue : ses rectrices médianes ne portent pas de barbes dans leur partie centrale, de sorte que la partie terminale en forme de spatule semble attachée par une ficelle. L'oiseau lui-même paraît s'en amuser, car il balance la queue de droite à gauche comme un pendule. Le Momot passe une grande partie de son temps perché sur une branche, immobile.

Les insectes constituent son mets favori : il les capture en vol, comme les Gobe-mouches, et fait alors preuve d'une habileté étonnante chez un oiseau aussi indolent. Il ne dédaigne pas non plus les fruits et même les petits vertébrés, tels les lézards qu'il tue à coups de bec. Cet oiseau est un habitant typique des forêts tropicales, mais on le rencontre également dans le « cerrado » et dans les zones buissonneuses. Bien avant l'aube, la forêt retentit de l'appel plaintif et mélancolique du Momot dont le lugubre « cout-cout » rompt le silence. Son aire de distribution s'étend du Mato Grosso jusqu'à l'Argentine, le Paraguay et même le Pérou.

Pour construire son nid, il creuse une galerie dans un talus. Ses œufs, blancs et légèrement ovales, sont alternativement couvés par le mâle et la femelle. L'élevage des petits, qui grandissent lentement, est également assuré par les deux parents.

Guêpier rouge de Nubie

Des oiseaux rouge et jaune, vert et bleu, brun et noir, à la très longue queue et aux ailes pointues, qui évoluent avec la grâce d'une hirondelle en volées de centaines d'individus, constituent l'un des plus fascinants spectacles offerts par la nature. Mais c'est une vision réservée à ceux qui ont la chance de pouvoir observer les Guêpiers dans leur habitat naturel, c'est-à-dire la savane soudanaise riche en arbres sur lesquels ils aiment se poser souvent. Réputés pour leur beauté, les guêpiers ont en outre l'habitude de s'appeler en vol d'un cri guttural.

Le guêpier préfère se nourrir de larves (de guêpes, d'abeilles sauvages et de bourdons), mais il ne dédaigne pas non plus les insectes adultes qu'il pourchasse avec acharnement. Il mange aussi des cigales, des sauterelles des libellules, des mouches, des moucherons. Tout insecte volant qu'il lui est possible d'avaler représente pour lui une proie de choix.

Son mode de nidification est également très frappant. En effet, le guêpier choisit de hauts talus de terre dans lesquels il creuse une très longue galerie au fond de laquelle la femelle pond ses œufs. Il s'agit d'un oiseau très grégaire, et toute la communauté construit son nid en même temps, ainsi les talus choisis ressemblent à de gigantesques passoires, autour desquelles on remarque, entrant et sortant des galeries dans un va-et-vient incessant, des milliers et des milliers de parents affairés.

Nom scientifique : *Merops nubicus.* **Dimension :** longueur 32 cm. **Nidification :** il pond 3 à 5 œufs blancs, pas tout à fait ronds, dans de longues galeries souterraines. Oisillons nidicoles. **Mœurs :** oiseau extrêmement grégaire ; le plus souvent en vol, mais se posant fréquemment sur les arbres ou à terre. **Alimentation :** insectivores. **Habitat :** savane boisée de l'Afrique centrale.

Groupe de Guêpiers rouges de Nubie près de leurs nids qui sont de longues galeries creusées dans des talus. Particulièrement gracieux en vol, les guêpiers offrent un spectacle inoubliable, tant il est harmonieux.

Rollier d'Afrique

Nom scientifique : *Coracias abyssinica*. **Dimension** : longueur 45 cm. **Nidification** : cavités des arbres et des édifices ; œufs blancs. Oisillons nidicoles. **Mœurs** : oiseau sédentaire et solitaire ; chasse en vol et à terre les proies aperçues du haut d'une branche. **Alimentation** : insectes ou petits vertébrés. **Habitat** : savane boisée ou zones cultivées et boisées de l'Afrique tropicale.

Rollier d'Afrique tournant la tête pour repérer des proies éventuelles. Sa méthode de chasse consiste à se percher sur une branche et à fondre en vol sur ses proies : en général sauterelles et autres gros insectes.

Parmi les inventions et les réalisations de l'homme, les fils télégraphiques et électriques semblent avoir été tout spécialement conçus pour donner à certains oiseaux un excellent poste d'observation. Tel est le cas pour le Rollier d'Afrique, oiseau aux formes robustes et aux superbes couleurs, dont la méthode de chasse consiste à rester perché sur un point élevé d'où il peut surveiller un vaste horizon, prêt à se précipiter sur ses proies favorites : gros insectes, en particulier sauterelles, ainsi que petits vertébrés (reptiles et souris).

En outre, comme d'autres oiseaux prédateurs africains, le Rollier d'Afrique suit systématiquement les feux de brousse qui éclatent dans la savane. Son habitat favori comprend la savane boisée et également les zones cultivées, à condition qu'on y trouve des arbres élevés ou des fils électriques ou télégraphiques. Mais ce gros Coraciidé ne fréquente pas les forêts.

Pour nicher, il choisit une grande cavité dans un arbre ou même dans le mur d'un édifice. La couvée comprend 4 ou 5 œufs blanchâtres. Les oisillons nidicoles sont élevés par les deux parents.

Le Rollier d'Afrique est un oiseau sédentaire et solitaire qui n'aime pas le voisinage de ses semblables et n'hésite pas à attaquer avec violence les intrus. Les Rolliers doivent leur nom aux acrobaties aériennes qu'ils effectuent à l'époque de la reproduction.

Petit Calao à bec rouge

De tous les oiseaux dotés de becs « hors du commun », la famille des Bucérotidés, dont les membres possèdent tous un très grand bec dur souvent orné de plaques osseuses, est tout particulièrement remarquable.

Le Petit Calao à bec rouge ; espèce africaine de taille moyenne, qui vit essentiellement dans les régions boisées et la savane arborée où il choisit cependant les lieux les plus arides, n'échappe pas à cette règle. Il est résolument arboricole en ce sens qu'il préfère rester perché sur les arbres, et même si possible à leur sommet. Cependant, cet oiseau passe un certain temps sur le sol où il trouve une partie de sa nourriture, constituée principalement d'insectes, de vers, de lézards. Son régime comprend cependant beaucoup de fruits et de baies qu'il cueille directement sur les arbres.

De nature réservée et timide, les Petits Calaos à bec rouge ne se mêlent presque jamais aux autres oiseaux de la brousse et vivent en petits groupes familiaux.

Aux moments les plus tragiques de la vie de la savane, c'est-à-dire en cas de feux de brousse volontaires ou accidentels, on trouve ce Calao en première ligne. Ces feux provoquent inévitablement la fuite précipitée de tous les insectes, des reptiles et des mammifères de petite taille qui vivent au sol. La multitude des oiseaux présents, particulièrement les plus gros, et les plus courageux parmi lesquels se trouve le Petit Calao, dispose alors sans difficulté d'une

Nom scientifique : *Tockus erythrorhynchus.* **Dimension :** longueur 44 cm. **Nidification :** dans des cavités naturelles de roches et d'arbres. Oisillons nidicoles. **Mœurs :** oiseau sédentaire, arboricole, mais qui recherche aussi sa nourriture au sol. **Alimentation :** omnivore. **Habitat :** savane boisée et zones arides d'Afrique, au sud du Sahara.

Couple de Petits Calaos à bec rouge dans son habitat type : la savane à acacias épineux. Ce Calao reste de préférence perché sur les arbres, mais se pose parfois à terre pour y chercher de la nourriture.

Ci-dessus : Calao terrestre du genre Bucorvus, *autre Bucérotidé au profil agressif.*

Page ci-contre : Calao bicorne, oiseau aux imposantes dimensions (il mesure 1,50 m) qui vit à Sumatra et à Bornéo. La protubérance au-dessus du bec se retrouve chez de nombreux représentants de cette famille.

abondante source de nourriture qu'il lui faut d'ordinaire, dénicher avec ruse et patience.

Mais la caractéristique essentielle de cet oiseau est son mode de nidification, sans doute le plus original, et unique en son genre, chez les oiseaux. Après avoir choisi une cavité appropriée dans un gros arbre de la savane, la femelle s'y installe, se laissant littéralement emmurer par le mâle ; celui-ci construit un véritable petit muret de boue, ne laissant qu'une mince fente ovale à travers laquelle il peut à peine passer le bec. C'est à travers cette fente qu'il introduira les aliments nécessaires à la femelle, puis aux oisillons jusqu'à la fin de leur croissance. Après avoir abattu le muret, la femelle sort alors du nid, grasse, engourdie et couverte de nouvelles plumes, en même temps que les petits qui apprennent peu après à voler. Ce procédé met le Petit Calao à bec rouge à l'abri de toute attaque des singes ou serpents prédateurs d'œufs, car outre le fait que le trou est très petit, ils doivent affronter le bec pointu de la femelle toujours vigilante.

Le Petit Calao pond 3 ou 4 œufs blancs sur les branchettes et les feuilles qui ont été entassées au fond du trou choisi. La femelle les couve pendant un mois. Après leur départ du nid, qui se produit pendant la saison des pluies, les jeunes sont encore longuement nourris par leurs parents, notamment avec des larves de criquets, des termites et des fourmis.

Calao terrestre

Ci-dessus : détail de la tête et de la caroncule du Calao terrestre d'Afrique à la peau typiquement nue et rouge vif. Page ci-contre : le Calao terrestre d'Afrique se nourrit de tout ce qui bouge sur le sol, y compris les serpents venimeux.

Un des groupes les plus importants de la très vaste classe des oiseaux est représenté par l'ordre des Coraciadiforme. Il s'agit d'oiseaux de taille moyenne qui vivent sous les tropiques et ont souvent un plumage aux vives couleurs. La grande famille des Bucérotidés s'en distingue cependant, car elle compte des sujets de grande taille à la livrée plutôt sévère. L'un de ses membres les plus connus, le Calao terrestre africain, ne se fait pas remarquer des autres oiseaux tropicaux par sa beauté ; il sait cependant se faire apprécier car il dévore avec acharnement des lézards et des reptiles variés, y compris les serpents venimeux qu'il réussit à attaquer grâce à son long bec puissant. Il est de ce fait bien considéré par les indigènes, aux abords des villages, où on le tient même en captivité pour cette raison.

Le Calao terrestre vit de préférence sur le sol où il se déplace d'un air pompeux ; pourtant son allure est plutôt gauche et ne rappelle même pas de loin la grâce et le vol élégant du Rollier d'Afrique qui appartient au même ordre, mais à une famille différente.

Bien qu'il construise son nid dans des cavités naturelles comme les Bucérotidés en général, le Calao terrestre d'Afrique n'emmure pas sa femelle dans le nid.

Son aire de distribution se situe dans l'Afrique méridionale. Un de ses congénères, le Calao d'Abyssinie, vit en grande partie en Afrique tropicale, au nord de l'équateur.

Quetzal

Nom scientifique : *Pharomachrus mocinno*. **Dimensions :** longueur mâle 35 cm (1,30 m avec la traîne). **Nidification :** cavités déjà existantes des arbres. Oisillons nidicoles. **Mœurs :** oiseau arboricole, sédentaire, habile voilier. **Alimentation :** insectes, mais aussi fruits et petits vertébrés. **Habitat :** forêt ombrophile d'Amérique centrale, jusqu'au Mexique.

Ci-dessus : splendide Quetzal mâle, plus précisément de l'espèce dite « Quetzal à tête dorée » (Pharomaohrus auriceps). Page ci-contre : Quetzal proprement dit mâle, oiseau sacré des Mayas et des Aztèques.

Le Quetzal n'est certes pas le plus bel oiseau au monde. Beaucoup d'autres oiseaux tropicaux le surpassent, tant par leur forme que par la variété de leurs coloris, malgré cela, le Quetzal a bénéficié de son aspect. En effet, son attitude solennelle et compassée a frappé l'imagination des Mayas et des Aztèques au point qu'ils en ont fait un véritable dieu, le dieu de l'air et de l'eau.

Depuis, la légende s'en est emparée. Aujourd'hui, le Quetzal ou Couroucou royal est l'oiseau national du Guatemala et son effigie se retrouve partout, sur la monnaie comme sur les timbres.

Cet oiseau si célèbre appartient à la famille tropicale des Trogonidés, qui comprend en général des oiseaux aux très belles couleurs. Le Quetzal mâle, en particulier, a une très longue queue ; elle l'encombre d'ailleurs beaucoup pour pénétrer dans les cavités des troncs d'arbres au moment de la couvaison, à laquelle il prend la même part que la femelle. Pour ne pas abîmer son appendice, il entre dans le nid à reculons et la queue repliée sur le dos.

Comme tous les Trogonidés, le Quetzal se nourrit d'insectes qu'il saisit au vol. Il est curieux de constater qu'il utilise la même méthode pour détacher les fruits des arbres.

Le Quetzal est répandu en Amérique centrale, jusqu'au Mexique, et vit de préférence dans les forêts les plus impénétrables, car dans les lieux plus accessibles sa survie a été mise en danger en raison de la chasse effrénée dont il était l'objet.

Coliou à nuque bleue

Nom scientifique : *Colius macrourus.* **Dimension :** longueur 32 cm. **Nidification :** nid sur des branches d'arbres ; ponte de 2 à 4 œufs blancs. Les oisillons nidicoles sortent du nid avant de savoir voler. **Mœurs :** oiseau sociable, arboricole et sédentaire. **Alimentation :** fruits, mais aussi insectes et petits vertébrés. **Habitat :** zones d'arbres et de buissons, terres cultivées, de l'Afrique centrale.

Un Coliou dans les branches d'un arbre. Les représentants de cette petite famille exclusivement africaine causent des dégâts aux arbres fruitiers.

Il fait partie d'un groupe de gracieux oiseaux exclusivement africains qui ne ressemblent à aucune autre espèce et portent en anglais et en italien le nom étrange d'« oiseau-souris ». Comme les perroquets, les Colious passent une grande partie de leur temps sur les arbres, s'aidant le cas échéant de leur bec pour grimper. Un de leurs traits particuliers est la réversibilité des doigts externes, c'est-à-dire leur aptitude à être dirigés vers l'avant comme vers l'arrière. La disposition de leurs plumes est, elle aussi, originale : tandis que chez les autres oiseaux elles sont placées à des endroits bien déterminés, dans la famille des Coliidés à laquelle appartient ce Coliou, les plumes sont implantées sur toute la surface du corps. Bien qu'ils passent la plus grande partie de leur temps sur les arbres, les colious peuvent se rencontrer aussi sur le sol d'où ils grimpent sur les troncs pour s'envoler, et recommencer.

Les colious sont très sociables et se montrent particulièrement « affectueux » entre eux, se lissant mutuellement les plumes et dormant souvent en groupes compacts. La position qu'ils adoptent pour dormir n'est guère reposante, du moins aux yeux de l'homme : le coliou dort en effet accroché à la branche, le corps pendant à l'extérieur, la tête dressée et la queue tournée vers le bas. Son vol est rapide et direct.

La famille des colious compte 6 espèces. Le Coliou à nuque bleue est répandu en Afrique occidentale, depuis le Sénégal jusqu'au

Nigeria, et de là au Soudan, en Éthiopie, dans l'Ouganda, au Kenya et dans le nord-ouest de la Tanzanie. Son nid, en forme de coupe, est généralement placé entre 2 et 6 mètres de haut dans un buisson ou un arbre épineux (acacia par exemple). Il mesure environ 10 à 12 centimètres de diamètre et 4 à 10 centimètres de haut, et comprend un soubassement de brindilles sèches sur lequel sont entassés des matériaux plus doux (herbes, mousse, duvet végétal, plumes, laine) ; il est souvent si frêle qu'on peut voir les œufs au travers et que la pluie ou le vent le détruisent. Mâle et femelle s'occupent de le bâtir. Les œufs sont tout petits par rapport à la pondeuse.

Deux Colious dans la position caractéristique du repos. Ce sont des oiseaux très sociables qu'il arrive souvent de voir agglutinés à plusieurs sur une même branche.

99

Colibri anaïs

Nom scientifique : *Colibri coruscans.*
Dimensions : longueur 13 cm, dont 2,5 cm pour le bec. **Nidification** : nid placé sur des branches de buissons. Oisillons nidicoles. **Mœurs** : oiseau solitaire, se tient essentiellement en vol. **Alimentation** : nectar, petis insectes. **Habitat** : forêts et régions buissonneuses, même à de hautes altitudes, en Colombie, au Pérou, en Argentine, au Venezuela, en Équateur et en Bolivie.

Ci-dessus : attitude typique d'un colibri suçant le nectar d'une fleur. Page ci-contre : Eugenes fulgens femelle perchée sur son nid minuscule, véritable chef-d'œuvre de camouflage, prête à donner la becquée.

Encore plus que par sa beauté, le Colibri ou Oiseau-mouche fascine tous ceux qui s'intéressent au monde animal par sa façon stupéfiante de voler. En effet, malgré certaines tentatives plus ou moins bien réussies, aucun autre oiseau (ni de nombreux insectes, mouches, moustiques, etc.) n'est jamais parvenu à faire ce que le colibri accomplit des centaines de fois par jour, chaque jour de l'année.

Ce qui le caractérise en tout premier lieu est la rapidité de ses battements d'ailes qui ne sont pas perceptibles à l'œil humain. Le colibri bat en effet des ailes à une vitesse de près de 70 battements à la seconde ; si cela est nécessaire, il peut atteindre un rythme encore plus élevé. Cette incroyable rapidité lui permet d'effectuer en vol toutes les manœuvres possibles : avancer (à des vitesses vraiment étonnantes pour un si petit oiseau), rester immobile dans les airs, voler à reculons. Ces dernières performances semblaient tellement extraordinaires que certains savants « n'y croyaient pas » et ne furent convaincus que lorsque les caméras modernes donnèrent l'explication de ce mystère.

Le vol des colibris est donc tout à fait comparable à celui des insectes ; leurs ailes battent en effet si vite qu'elles produisent un bourdonnement.

En réalité, le colibri possède des muscles pectoraux d'une très grande puissance, par rapport à sa taille évidemment ; la structure

osseuse de ses ailes est conçue pour utiliser au maximum cette puissance musculaire.

Cette aptitude permet aux colibris d'exploiter une « niche écologique » qui semblerait réservée aux insectes : celle de mangeurs de nectar. Ce suc doux que sécrètent les fleurs constitue leur nourriture presque exclusive. Les sucres qu'ils contiennent permettent entre autres au colibri d'avoir un métabolisme très élevé. On a pu vérifier assez récemment qu'il ne supporte pas les basses températures car son énergie est utilisée par le vol. Il compense ces baisses occasionnelles de métabolisme (en cas de mauvais temps ou de vents froids soudains) par une diminution de son activité pouvant parfois aller jusqu'à une certaine léthargie.

Tous les colibris ne vivent pas dans la zone la plus chaude du continent américain : sur 320 espèces, seule la moitié se rencontre dans la zone équatoriale proprement dite, tandis que 3 espèces ont atteint le Canada, et une autre le sud de l'Argentine.

Le Colibri anaïs a choisi comme demeure les pentes des Andes, de la Colombie jusqu'au Pérou et à l'Argentine ; il préfère vivre dans des zones assez découvertes et riches en buissons plutôt que dans les forêts. Le nid du colibri, tout comme ses œufs, sont extraordinairement petits, ce qui n'est que simple logique étant donné la taille minuscule de l'oiseau adulte. La femelle s'occupe seule des petits.

Ci-dessus : un autre Colibri sur le point de se poser sur une branche ; remarquer que ce spécimen, comme d'autres représentants de la famille, a des plumes irisées sur la gorge.

Page ci-contre : splendide spécimen de Popelairia conversii, *colibri à la queue extraordinairement allongée.*

Touraco vert

Nom scientifique : *Tauraco corythaix.*
Dimension : longueur 45 cm. **Nidification :** nid volumineux sur les arbres ; période de reproduction liée à la marche des saisons ; 2 à 3 œufs blancs. Oisillons nidicoles. **Mœurs :** assez sociable, sédentaire et rigoureusement arboricole. **Alimentation :** frugivore. **Habitat :** forêts de l'Afrique tropicale.

Ci-dessus : deux Touracos violets. Ces oiseaux ont un plumage particulièrement soyeux qui ajoute à leur beauté.
Page ci-contre : Touraco à tête rouge.

Ce touraco appartient à la famille des Musophagidés, exclusivement africaine, mais plus particulièrement limitée aux régions tropicales. On connaît à l'heure actuelle 18 espèces de touracos. Ils ont le plus souvent un plumage soyeux d'un vert brillant mêlé de bleu et de noir, bien assorti au feuillage des forêts dans lesquelles ils vivent. Ils portent sur la tête une huppe de plumes semblable à un casque et leurs ailes sont bordées de plumes rouge carmin.

Le Touraco vert est un oiseau rigoureusement arboricole, ce dont font foi ses ailes courtes et arrondies, adaptées à un vol court et ondoyant, ainsi que l'habileté avec laquelle il sautille et bondit d'une branche à l'autre. Il descend rarement au sol et toujours pour de très brefs instants. Son alimentation est à base de fruits.

Il vit en général en petits groupes qui ne se désintègrent pas, même pendant la période de reproduction liée à la marche des saisons (précipitations atmosphériques) et à la maturation des fruits. Chaque couple se construit un nid volumineux et grossier, presque toujours situé au plus touffu des euphorbes arborescentes. La femelle y pond 2 ou 3 œufs blancs.

Les touracos n'ont pas une voix qui mérite d'être signalée, bien qu'ils soient assez bruyants comme tous les oiseaux de la forêt tropicale. En outre, ils ont l'habitude de crier en chœur, à l'unisson, surtout quand ils se déplacent d'une branche à l'autre, ce qui se produit presque en permanence.

Coua du Sénégal

Nom scientifique : *Centropus senegalensis*. **Dimension :** longueur 40 cm. **Nidification :** nid globulaire avec entrée latérale, à peu de distance du sol, dans lequel sont pondus 3 à 5 œufs. Oisillons nidicoles. **Mœurs :** oiseau terrestre, sédentaire et solitaire. **Alimentation :** insectes, petits vertébrés. **Habitat :** savane boisée de l'Afrique tropicale, au sud du Sahara.

Coua du Sénégal à l'abreuvoir. De nombreux coucous de toutes les parties du globe, surtout dans les régions tropicales, n'ont pas les mœurs parasites du Coucou gris européen. Ils ont cependant toujours un air agressif.

Le nom de « coucou » évoque ces oiseaux parasites qui utilisent le nid d'autres espèces pour pondre et comptent sur elles pour élever leur gros oisillon. Mais cela n'est pas toujours le cas. En fait, dans la vaste famille des coucous, il n'y a que peu d'espèces qui ont les mœurs parasites du Coucou gris européen.

Le gros Coua du Sénégal, par exemple, fait partie d'un groupe d'oiseaux d'Afrique et de Madagascar qui n'ont pas ces habitudes de parasites et sont essentiellement terrestres. Il passe en effet une grande partie de son temps sur le sol, à la recherche des gros insectes et des petits vertébrés (rongeurs, reptiles et même petits oiseaux) qui constituent son alimentation.

Son nid est globulaire, fait d'herbes et posé à peu de distance du sol. Les herbes qui en couvrent l'intérieur sont vertes et continuellement renouvelées. Le nombre d'œufs varie de 3 à 5 ; ils sont plutôt arrondis.

Le Coua du Sénégal est également connu pour un autre trait, peu attirant : son chant plaintif et monotone, inlassablement répété jour et nuit et qui ne laisse pas de paix aux paysans locaux. Mais surtout, le Goua du Sénégal est un piètre voilier et ne s'éloigne jamais de son territoire.

Les autres oiseaux de ce genre ont tous un plumage plutôt foncé ou noir, des pattes robustes et un bec épais portant une légère excroissance.

106

Ci-dessus : le Coureur de route, un
curieux coucou américain qui préfère
rester toujours à terre où il se nourrit
de lézards et de petits serpents très
nombreux dans le milieu chaud et
aride où il vit.

À gauche : un Coua noir de
Madagascar dans son milieu
strictement forestier. Comme tous les
couas, il se nourrit essentiellement de
chenilles.

Ara macao

Ci-dessus : gros plan d'un Ara macao, l'un des oiseaux au plumage le plus vivement bariolé.
Page ci-contre : l'Ara macao, ou Ara rouge et bleu, ou Aracanga, est remarquable pour sa très longue queue. Contrairement à d'autres perroquets qui apprennent très bien à parler, l'Ara macao arrive avec peine à répéter des sons isolés.

Tous les perroquets sont regroupés dans une seule vaste famille comprenant des sujets de tailles très variées, depuis l'Ara macao long de près de 1 mètre, jusqu'aux petits Inséparables qui ne mesurent pas plus de 10 centimètres.

Les perroquets en général sont répandus dans toutes les régions tropicales de la terre, sans exception. L'Ara macao, au contraire, fait partie d'un groupe de gros perroquets très colorés typiquement américains. Son aire de distribution s'étend du Mexique à l'Amazonie et à la Bolivie. Les tribus primitives du Brésil considéraient l'Ara comme un symbole de guerre et ornaient leurs flèches des plumes multicolores de ce perroquet. Et lorsqu'ils devaient sacrifier des prisonniers, le bourreau se couvrait le corps des plumes d'ara et s'ornait la tête d'une couronne de longues rectrices.

En liberté l'Ara macao est un oiseau grégaire et bruyant qui vit en permanence sur la cime des arbres et se nourrit de fruits mûrs. Bien qu'il soit habile voilier, il préfère grimper sur les arbres, ce qui lui est facilité par la disposition de ses doigts tournés vers l'avant et l'arrière comme chez les pics.

Il niche dans des trous d'arbres. Les petits sont nourris longtemps par les parents avec une sorte de bouillie régurgitée. L'arbre qui abrite le nid représente le centre du territoire et les Aras, qui vivent en couples, y retournent chaque année pour y préparer une nouvelle couvée.

À gauche, en haut : détail du bec de l'Ara militaire qui montre bien sa puissance, capable de briser les coquilles les plus dures.
À gauche, en bas : un autre exemplaire puissant de l'Ara militaire.

Page ci-contre : gros plan d'un Ara ararauna. La popularité de ces gros perroquets provient également du fait qu'ils vivent vieux et se nourrissent de toutes sortes de fruits et de grosses graines.

Cacatoès à huppe jaune

Nom scientifique : *Kakatoe galerita*.
Dimension: longueur 50 cm. **Nidification :** dans des cavités déjà existantes ; œufs blancs. Oisillons nidicoles, nourris d'aliments prédigérés.
Mœurs : oiseau sociable, sédentaire et vivant seulement dans la partie haute des arbres. **Alimentation :** fruits et graines. **Habitat :** bois et savane boisée d'Australie et de Nouvelle-Guinée.

Ci-dessus : bien qu'il soit complètement blanc, et donc bien visible, le Grand Cacatoès à huppe jaune est rarement attaqué par les rapaces car il sait bien se défendre de son bec puissant.

Page ci-contre : deux Cacatoès incas.

Le Grand Cacatoès à huppe jaune, est un gros perroquet tout blanc portant une curieuse huppe érectile jaune, que l'on trouve uniquement en Australie et en Nouvelle-Guinée.
Il s'agit d'un oiseau doux, robuste et sociable, très facile à apprivoiser qui apprend aisément à parler ainsi qu'à exécuter toutes sortes d'acrobaties. Dans les zoos qui l'hébergent volontiers à cause de sa longévité, il est le « chouchou » de tous les enfants. En liberté, les Grands Cacatoès à huppe jaune offrent l'un des plus beaux spectacles que l'on puisse voir dans la savane et les forêts des régions qu'ils habitent, car ils se déplacent souvent en vols nombreux et, du fait de leur couleur, ressortent vivement sur le vert du feuillage.
Comme l'ara, le Grand Cacatoès se nourrit de fruits. Il lui est possible de casser des coquilles très dures grâce à son bec aux bords en dents de scie lui permettant de saisir très solidement les fruits. Les perroquets possèdent aussi une langue très mobile, capable de ramasser les plus petits débris de nourriture. Contrairement à beaucoup d'autres oiseaux qui mangent plutôt avidement, les cacatoès semblent se nourrir au ralenti. On peut remarquer leur curieuse faculté de tenir la nourriture d'une patte et de la porter à la bouche.
En Australie et dans les îles voisines existent de nombreuses espèces de cacatoès comme le Cacatoès des Moluques qui a une

Ci-dessus : le Cacatoès ou Microglosse noir est certainement le perroquet au bec le plus puissant. Il réussit en effet à casser les graines les plus dures en se servant des bords dentelés de ses mandibules comme de tenailles.

Page ci-contre : groupe de Cacatoès à poitrine rose ou Galahs.

huppe rouge vif et un plumage blanc aux reflets roses. C'est un oiseau intelligent, vif et d'une grande mobilité : même quand il ne quitte pas son perchoir, il hausse et baisse continuellement sa huppe. Parmi les autres cacatoès méritant d'être mentionnés, on trouve le Cacatoès inca, à la crête rouge, jaune et blanche, et le Cacatoès à poitrine rose ou Galah, à dominante grise, mais à tête, cou et poitrine roses.

Le Grand Cacatoès à huppe jaune fait son nid dans des cavités et pond des œufs blancs et arrondis, comme la plupart des oiseaux qui nichent dans des trous ou dans l'obscurité.

Perruche ondulée

Nom scientifique : *Melopsittacus undulatus*. **Dimension** : longueur 20 cm, dont la moitié environ pour la queue. **Nidification** : dans des trous déjà existants ; œufs blancs. Oisillons nidicoles. **Mœurs** : oiseau sociable, sédentaire et erratique, vivant en colonies parfois nombreuses. **Alimentation** : granivore et frugivore. **Habitat** : savanes boisées d'Australie.

Ci-dessus : venant directement après le Canari, la Perruche ondulée est très appréciée comme oiseau de cage, en particulier pour son splendide plumage.
Page ci-contre : une autre espèce de perruche que l'on trouve facilement dans le commerce est la Perruche à collier.

Les petites cages et les volières des amateurs ne contiennent pas toujours l'immanquable Canari ; elles abritent parfois un petit oiseau bavard : la Perruche ondulée.

Dès l'Antiquité, les Romains avaient l'habitude de mettre les perruches en cage et d'utiliser même leur chair comme une gourmandise, tout comme les indigènes à l'heure actuelle. Lorsqu'on s'aperçut que les perroquets savaient aussi « parler », c'est-à-dire reproduire les sons de la voix humaine, leur réputation grandit de façon démesurée. Il faut cependant souligner que les perroquets, contrairement à d'autres oiseaux comme le Mainate religieux ou le Ménure superbe, sont tout à fait incapables d'imiter les sons et les chants des autres habitants de la forêt. On suppose que cette faculté, que le perroquet ne développe qu'en captivité, a un lien avec le fait que cet oiseau réussit à comprendre les avantages qu'il peut obtenir en imitant certains sons qui lui sont répétés. En réalité, les perroquets « parlent » bien davantage lorsque leur maître quitte la pièce qu'en sa présence, justement parce que « parler » est un moyen pour eux d'attirer son attention.

Bien que la Perruche ondulée ne soit pas particulièrement « belle », et soit encore moins un chanteur au sens strict du terme, on constate qu'elle est l'un des oiseaux de cage les plus appréciés. Sa chance (ou sa malchance) provient du fait que les éleveurs réussissent à obtenir des variations de couleur de son plumage

Ci-dessus : colonie de Perruches en liberté. Les individus qui fuient leur cage s'adaptent très souvent à la vie en liberté même dans les pays d'Europe, et se mêlent aux colonies de moineaux.

Page ci-contre : superbe spécimen de Perruche royale, espèce typiquement australienne.

pratiquement à l'infini, comme cela a été le cas pour le Canari. Elle se reproduit facilement en cage et il existe plusieurs revues spécialisées qui expliquent aux amateurs comment l'élever.

En liberté, la Perruche ondulée est un oiseau extrêmement sociable qui vit en très nombreuses colonies dans les régions chaudes d'Australie, allant de-ci de-là en quête des fruits et des graines dont elle se nourrit. Elle fait son nid dans des trous d'arbres et a généralement deux couvées par an. Elle se déplace en fonction de la maturation des graines.

L'inséparable, qui doit son nom au fait qu'un couple n'est séparé que par la mort de l'un des deux membres, est un autre petit perroquet que l'on garde aussi en cage pour son comportement très affectueux. Ce très gracieux volatile peut se reproduire en captivité car il n'a pas d'exigences particulières en matière de nourriture. On le trouve à l'état sauvage dans les régions chaudes d'Afrique et de Madagascar. Chez certaines espèces, le mâle et la femelle ont des colorations semblables, tandis que chez d'autres il existe de grandes différences de tons.

On connaît 6 espèces d'inséparables qui se ressemblent par leur silhouette trapue, leur queue arrondie ainsi que leur plumage de tonalité générale verte.

Ces oiseaux transportent les matériaux de leur nid dans le plumage dorsal ou celui du croupion.

Colombe poignardée

Nom scientifique : *Gallicolumba luzonica*. **Dimension :** longueur 30 cm. **Nidification :** nid de brindilles où sont pondus 2 œufs blancs ; oisillons nidicoles nourris d'aliments prédigérés. **Mœurs :** sédentaire, terricole pour la recherche de sa nourriture ; sort sur les arbres. **Alimentation :** essentiellement végétale et granivore. **Habitat :** lieux boisés de l'archipel des Philippines.

Ci-dessus : la Colombe poignardée doit son nom à la tache couleur de sang qui orne sa poitrine.
Page ci-contre, en haut : Tourterelle turque.
Page ci-contre, en bas : Colombe ou Tourterelle à masque de fer.

À part son nom dû à la curieuse tache rouge qui orne sa poitrine, ce Columbidé est un représentant typique d'un vaste groupe d'oiseaux très répandus dans le monde entier, et pas seulement dans les régions tropicales.

La Colombe poignardée, ou sanglante, est tout à fait sédentaire et vit aux îles Philippines, mais il n'est pas rare de la voir dans les volières d'Europe car les indigènes la capturent pour la vendre sur nos marchés. Elle passe une grande partie de son temps sur le sol en quête des graines et des autres éléments végétaux, fruits et herbes, qui constituent son alimentation. Elle reste perchée sur les arbres où elle fait son nid et n'en descend que pour chercher sa nourriture. Le nid, assez grossier, n'est pas en forme de coupe, mais constitué d'une simple plate-forme de brindilles, sur laquelle sont déposés les œufs. Les petits sont des oisillons nidicoles, mais se développent vite, notamment grâce au fameux « lait de pigeon » que les parents produisent dans leur jabot.

Les Colombes poignardées vivent en groupes familiaux. On les rencontre cependant souvent en groupes plus nombreux, particulièrement dans les régions où la nourriture est abondante. Oiseaux timides et réservés, les Colombes poignardées, comme les Columbidés en général, ont de nombreux ennemis, mais elles se défendent bien grâce à leur vol très rapide et vigoureux. Il en existe 3 autres espèces qui vivent également aux îles Philippines.

Goura couronné

Nom scientifique : *Goura cristata.*
Dimension : longueur 82 cm. **Nidification :** nid grossier dans lequel est déposé un seul œuf. Oisillons nidicoles, nourris d'aliments prédigérés. **Mœurs :** modérément sociable ; terricole pour la recherche de nourriture, mais également arboricole. **Alimentation :** végétale. **Habitat :** forêts tropicales de Nouvelle-Guinée.

Des Gouras de Victoria. Cet oiseau et le Goura couronné sont les plus gros représentants de la famille des Columbidés. Recherchés comme oiseaux de volière, ils risquent de disparaître du fait de la chasse acharnée dont ils sont l'objet.

Bien que le Goura couronné soit un gros oiseau voyant, hôte fréquent des zoos et des volières particulières, on connait peu de choses de la vie qu'il mène au plus profond des forêts vierges de Nouvelle-Guinée.

Son plumage est bleu ardoise, teinté de rouge violacé sur le dos et le haut des ailes, avec une bande claire sur les ailes. Sa tête est ornée d'une élégante huppe érectile en forme d'éventail ou de couronne (d'où le nom de Goura couronné). Les plumes de cette huppe ont des barbes décomposées (c'est-à-dire indépendantes), ce qui leur donne l'aspect fragile et précieux de la dentelle.

Ses mœurs rappellent beaucoup celles du faisan.

Le Goura couronné, comme tous les membres de cette famille, jouit d'une triste prérogative : sa chair est excellente, aussi appréciée des indigènes que des Occidentaux. Il a donc été l'objet d'une chasse acharnée et a disparu de plusieurs régions. La facilité avec laquelle le Goura couronné se laisse prendre, du fait de sa maladresse et de son peu de méfiance, est également un autre motif de sa raréfaction, au point que l'on craint même qu'il ne disparaisse tout à fait.

Le Goura couronné est un oiseau essentiellement terricole qui se déplace en petits groupes à travers les bois, sans jamais quitter le sol où il mange les fruits tombés des arbres et des graines. S'il est suivi, il s'élève d'un vol pesant, mais ne tarde pas à se poser sur une

branche élevée. C'est également sur une branche qu'il passe la nuit. Ce Columbidé construit un nid très volumineux, sur une fougère arborescente ou un arbre, à une hauteur de 6 à 9 mètres. Il y pond 1 seul œuf dont l'incubation (que l'on a pu observer chez les individus en captivité) dure 28 ou 29 jours. Au bout de 1 mois environ, le petit quitte le nid, cependant les parents continuent à le nourrir quelque temps encore.

L'un des traits caractéristiques du Goura, trait commun du reste à tous les Columbidés, est de boire en aspirant l'eau sans renverser la tête en arrière.

Autre spectaculaire Goura couronné à la huppe d'une rare beauté.

Paon bleu

Le Paon bleu est certainement l'un des rares gros oiseaux tropicaux que l'homme aime garder en captivité du fait de son exceptionnelle beauté. Il serait sans doute encore plus répandu si le cri désagréable du mâle amoureux ne décourageait pas de nombreuses personnes d'élever des couples dans leur basse-cour. Malgré cela, le Paon bleu est l'un des plus anciens oiseaux domestiqués, aussi bien en Inde, son pays d'origine, que dans le monde occidental.

Dans sa patrie, le Paon bleu fréquente les forêts riches en cours d'eau, en plaine comme sur les flancs des montagnes où on le trouve jusqu'à 1 500 mètres.

Selon la façon dont il est traité par les indigènes, c'est-à-dire s'il est respecté ou non, le Paon bleu peut se montrer très doux ou très sauvage.

Pendant la nuit, la jungle résonne de l'appel aigu du Paon, très utile aux autres animaux de la forêt, car il est le premier à donner l'alarme à l'approche d'un gros prédateur carnivore, tel le Tigre. Le Paon bleu passe la journée par terre, mais pour la nuit il monte dans un arbre où il jouit d'une plus grande sécurité. Une espèce voisine, le Paon spicifère, vit en Indochine et à Java.

Le Paon bleu est pratiquement omnivore : il mange des graines, des bourgeons, mais aussi des insectes, des mollusques et de petits vertébrés.

Durant la période des amours, le mâle, qui est polygame, parade

Nom scientifique : *Pavo cristatus.* Dimensions : longueur mâle 2,30 m ; longueur femelle 80 cm. Nidification : nid dans un creux, à même le sol ; 6 à 15 œufs par couvée. Poussins nidifuges. Mœurs : oiseau terricole, sédentaire ; mâle polygame. Alimentation : omnivore, de préférence granivore. Habitat : forêt, même à haute altitude, de l'Inde et de Ceylan.

Page ci-contre : le Paon mâle paradant devant sa femelle plus terne.
Ci-dessus : le Paon mâle, même en dehors de la période des amours, a un aspect à la fois élégant et imposant.

devant les femelles. À cette occasion, il fait étalage de ce qui représente le grand attrait de son plumage : sa traîne extraordinaire. Constituée de 20 plumes sus-caudales très longues, qui portent de grands ocelles joliment colorés, celle-ci est ouverte en éventail devant la femelle bien plus modeste. Cette parade est lente, majestueuse et dure très longtemps.

Le nid n'est qu'un creux dans le sol où la femelle pond 6 à 15 œufs. Les petits, dès leur éclosion et après avoir séché leur duvet, sont en mesure, comme les petits de la Poule, de suivre leur mère qui les guide dans la jungle vers les lieux où ils trouveront leurs aliments.

Ci-dessus : le Paon blanc est une mutation de l'espèce sauvage qui est maintenant fixée.

Page ci-contre : Paon mâle faisant la roue, dans toute la magnificence de sa traîne ocellée.

127

Leipoa ocellé

Nom scientifique : *Leipoa ocellata.*
Dimension : longueur 60 cm. **Nidification :** incubation des œufs confiée à la chaleur des végétaux en fermentation. Poussins nidifuges. **Mœurs :** oiseau terricole, sédentaire, monogame. **Alimentation :** totalement omnivore. **Habitat :** régions boisées en général du sud et du sud-ouest de l'Australie.

Leipoa ocellé occupé à accumuler du sable et des détritus pour créer le tertre dans lequel seront pondus les œufs qui éclosent tout seuls, sous l'effet de la chaleur fournie par le sol et les détritus végétaux en décomposition.

Cet oiseau qui ressemble à un gros dindon, mais est un peu moins coloré, passerait tout à fait inaperçu parmi les oiseaux tropicaux si son mode de nidification n'était pas unique en son genre. En effet, l'incubation des œufs n'est pas confiée aux soins de la femelle ou du mâle, ou d'espèces d'autres familles qui servent de nourrices comme dans le cas de certains coucous.

Le Leipoa ocellé, qui vit uniquement en Australie (pays où quelques mammifères pondent des œufs), confie l'incubation de sa progéniture au soleil. Grâce à une technique semblable à celle des reptiles, mais beaucoup plus élaborée, le couple forme un grand cratère dans le sable et y accumule une couche de feuillage et d'herbes qui pourrissent rapidement, l'opération ayant lieu à la saison des pluies. Puis, après avoir rempli le trou de sable, la femelle y pond ses œufs tandis que le mâle contrôle la température des végétaux en fermentation (en rajoutant si cela est nécessaire) pour que l'incubation soit parfaite. Les petits éclosent l'un après l'autre et s'éloignent sans que les parents leur accordent la moindre attention. Un ornithologiste australien qui a étudié en détail la reproduction du Leipoa ocellé a constaté que la femelle pondait de 18 à 24 œufs et que l'intervalle entre la ponte de deux œufs variait entre 4 et 8 jours. Les éclosions s'échelonnent donc pendant plusieurs mois car l'incubation dure en moyenne 57 jours et la surveillance du nid est de la compétence exclusive du mâle.

L'arbre du voisin est toujours le plus beau

Les savants n'ont pu encore déterminer de façon précise s'il est préférable pour un oiseau de vivre en société ou de mener une vie solitaire, c'est-à-dire s'il vaut mieux pour lui faire partie d'une communauté permanente ou vivre seul presque toute l'année. L'observation des différentes espèces et familles d'oiseaux a permis de constater les faits suivants : la plupart des oiseaux sont sociables, mais certains, comme le Merle noir européen et le Merle migrateur nord-américain, n'ont que rarement un comportement social. D'autres encore, comme le Faucon pèlerin et le Grand Corbeau sont des oiseaux absolument solitaires, qu'ils vivent dans les régions les plus septentrionales ou qu'ils migrent vers l'équateur.

La distinction entre ces deux tendances chez les animaux en général, et les oiseaux en particulier, n'est cependant pas aussi nette qu'on pourrait le penser. De nombreux oiseaux vivent par exemple en solitaires pendant presque toute l'année, puis deviennent sociables à l'époque des migrations. C'est ainsi que se comportent diverses espèces de Canards et de nombreux Passériformes. Ils s'accouplent au printemps, élèvent leurs petits, puis se rassemblent, mais seulement pour effectuer des déplacements plus ou moins longs vers les régions chaudes. Ces rassemblements après la période de reproduction se rencontrent également chez les oiseaux des régions tropicales qui se déplacent en troupes de

Colonie de Flamants roses près des rives d'un étang africain. Il s'agit d'un oiseau grégaire dont les colonies comptent souvent plusieurs milliers d'individus. Mais il est craintif : un rien l'effraye. Il s'envole alors, offrant l'un des plus merveilleux spectacles de la nature.

Le vol synchronisé est typique des espèces qui sont dotées d'un fort esprit d'imitation. Toute la troupe vire à gauche, ou à droite, vers le haut ou le bas, suivant les changements de direction du chef de vol. Si les oiseaux ont des plumes de plusieurs couleurs, le perpétuel changement de teintes est spectaculaire.

plusieurs dizaines d'individus appartenant parfois à 3 ou 4 espèces différentes ou même davantage.

D'autres oiseaux, au contraire, se comportent de façon diamétralement opposée ; ils se réunissent en colonies pour nicher, puis se dispersent. Ces colonies peuvent être plus ou moins nombreuses. Elles semblent parfois fortuites, comme dans les cas de petits tisserins africains, tandis qu'en d'autres occasions elles sont très organisées, comme chez les cassiques américains. Le cas le plus remarquable d'organisation sociale au moment de la nidification est celui qu'offre le Républicain déjà mentionné. Un autre exemple assez sensationnel de nidification sociale est celui des anis, coucous américains, qui préparent un seul nid pour plusieurs femelles ; celles-ci couvent et élèvent les petits en commun.

Les sociétés d'oiseaux les plus intéressantes sont celles qui présentent une véritable hiérarchie, ou au moins un certain comportement communautaire. Dans le second cas, caractéristique surtout de certaines espèces de pigeons et de perroquets, on relève l'existence d'un fort esprit d'imitation, en ce sens qu'un individu a tendance à faire exactement ce que font les autres. On peut ainsi assister à ces merveilleuses manifestations de vol synchronisé au cours duquel tous les oiseaux de la troupe tournent tous à droite ou à gauche, vers le bas ou le haut, selon les changements de direction amorcés par le « chef de file ». Si les oiseaux ont des plumes de couleurs différentes, l'observateur reste stupéfait par les modifications ininterrompues de couleurs qui se succèdent sans interruption.

Parfois la façon de se nourrir à terre de certains oiseaux sociaux (pigeons) peut sembler improvisée. En réalité, les individus qui sont

Le cas le plus symbolique d'organisation sociale est celui du Coureur de route américain qui construit un seul nid pour plusieurs femelles ; celles-ci couvent et élèvent les petits en commun.

au centre du vol sont plus protégés et se nourrissent davantage que ceux qui se trouvent sur les bords ; en effet, ces derniers exposés aux attaques des prédateurs, doivent être toujours sur la défensive. Ce grand danger du ravitaillement à terre est parfois compensé chez les oiseaux sociaux par la présence de véritables guetteurs postés sur les arbres entourant la clairière et qui, d'un cri particulier, donnent l'alerte à l'approche d'un danger.

Un stade encore plus évolué de vie en société est représenté par certaines formes d'organisation hiérarchique. Le cas des coqs sauvages et de certaines espèces asiatiques de faisans est particulier. Il existe un chef absolu (sur un territoire plutôt limité) : le mâle le plus vigoureux, qui rassemble le plus grand nombre de femelles (ces espèces sont polygames), tandis que les autres mâles ne peuvent disposer que d'un nombre inférieur de compagnes. Se placent au dernier rang dans l'échelle sociale les individus plus ou moins handicapés. De cette manière, l'espèce conserve sa vigueur car les mâles et les femelles les plus forts se reproduisent davantage que les individus qui occupent le rang le plus bas de l'échelle sociale.

Presque tous les oiseaux, indépendamment de leur tendance à la vie en société, ont donc une autre exigence fondamentale : la nécessité de disposer d'un espace vital. On constate en fait une aspiration à posséder un territoire propre, spécialement pendant la période de reproduction. Si par exemple une espèce déterminée de perroquets niche en colonie, tous les individus qui à ce moment précis se trouvent dans le voisinage attaquent avec des cris, des clameurs, et parfois même directement, tout intrus éventuel sur le territoire de la colonie. Cette tendance à la défense du territoire est

si forte que les plus gros aigles eux-mêmes évitent de traverser l'espace occupé par une colonie nombreuse. En outre, l'instinct agressif des membres du groupe n'est pas dirigé seulement contre les ennemis traditionnels, mais aussi contre les individus de la même espèce qui tenteraient de s'introduire sur le territoire.

Droits de propriété

Ce type de comportement se retrouve avec des caractéristiques identiques chez les oiseaux qui se reproduisent en couples isolés. Dans ce cas, le mâle délimite en chantant un territoire plus ou moins vaste, dans lequel s'installe la femelle qui se met à couver dès que le nid est terminé. Le mâle ne se contente pas de signaler sa présence par son chant, il attaque directement les concurrents éventuels qui se hasarderaient sur son domaine.

On a pu observer récemment que la femelle ne place pas toujours son nid dans le périmètre exact de la zone défendue par le mâle (ce qui signifie qu'il s'agit souvent d'un rite et que les mâles d'un territoire donné se contentent de chanter uniquement pour signaler leur présence). Cet instinct de territorialité se retrouve tant chez les oiseaux qui vivent dans les forêts que chez ceux qui habitent la savane. Logiquement, plus l'oiseau est gros, plus l'espace vital dont il a besoin est grand. Par exemple, on a observé que le gros Pic à bec d'ivoire exige un territoire de près de 15 km² par couple, mais que cette même surface peut abriter près de 36 couples de pics plus petits et jusqu'à 126 couples de Mélanerpes.

Chaque espèce d'oiseau aspire à avoir son territoire de reproduction que le mâle est prêt à défendre contre les ennemis les plus redoutables. Mais plus l'oiseau est gros, plus son domaine doit être vaste. Ainsi, le territoire du Pic à bec d'ivoire (env. 15 km²) peut contenir 36 couples de Pics noirs et 126 couples de Pics à tête rouge.

Le Quéléa à bec rouge est un petit Passériforme essentiellement granivore. Il construit son nid dans les buissons proches des champs de millet, sorgho ou autres graminées. La grande abondance de nourriture permet à cette espèce de se multiplier en millions d'individus qui, on l'imagine sans peine, sont un véritable fléau pour les cultures.

Le mode d'alimentation lui-même influe sur l'espace vital des oiseaux en ce sens que les rapaces ont besoin d'un grand territoire de chasse pour survivre, tandis que les petits insectivores peuvent se contenter d'un périmètre plus réduit. Mais, tandis que beaucoup d'oiseaux protègent leur territoire de nidification en chantant, voire en attaquant directement les individus de leur espèce, et que de la même façon, les oiseaux sociaux défendent la colonie contre tout ennemi éventuel, il n'y a que peu d'oiseaux qui défendent leur terrain de chasse, exception faite des espèces carnivores. En effet, les corbeaux font en général exception à cette règle car ils ne craignent pas d'attaquer les aigles eux-mêmes lorsqu'ils se hasardent dans les lieux où ils prennent leur nourriture.

La nécessité de construire un nid et de s'alimenter influe donc sur l'existence des oiseaux et sur l'étendue de leurs territoires. La richesse des milieux et les vastes possibilités qu'offre la forêt tropicale sont au contraire l'élément déterminant de la plus forte densité d'oiseaux dans ces zones, par rapport aux régions tempérées ou froides.

Bien que les régions tempérées soient de loin plus étudiées que les régions tropicales, on peut affirmer que viennent les oiseaux des parties chaudes du globe au premier rang non seulement pour le nombre d'espèces, qui dépasse celui de toutes les autres contrées, mais aussi pour leur densité, par rapport à une certaine superficie de forêt ou de savane. Dans les bois européens, par exemple, ne vivent (en moyenne) pas plus de 2 à 5 couples d'oiseaux à l'hectare et moins d'1 couple à l'hectare dans les parties découvertes, c'est-à-dire les prairies et les champs cultivés. Dans les régions tropicales, ou mieux dans les forêts des régions chaudes, cette densité est au moins triple, avec des pointes que certains savants évaluent autour de 300 individus par hectare.

La richesse du milieu naturel n'est pas seule en cause. Les oiseaux des tropiques peuvent profiter davantage de la combinaison des possibilités offertes par la nature d'une part et par l'œuvre de l'homme d'autre part. En effet, les zones cultivées de nombreuses régions tropicales de chaque continent constituent une source d'alimentation pour des oiseaux granivores et frugivores.

Gigantesques colonies

Le cas le plus marquant est celui d'un petit Passériforme africain, le Quéléa ou Travailleur à bec rouge *(Quelea quelea)* qui, comme presque tous ses parents (y compris le Moineau domestique européen) est essentiellement granivore. Le Quéléa à bec rouge vit en colonies impressionnantes. Il choisit en général un lieu propre à la nidification, et chaque couple construit son nid à côté de celui de ses voisins. Les nids sont rapidement terminés, les œufs pondus et couvés et les petits élevés. Certains d'entre eux seront en mesure de se reproduire au bout d'un an. Mais tout ceci se passe aux abords des grands champs de millet, de sorgho ou d'autres graminées, car c'est justement la grande abondance de nourriture, jointe à la présence d'arbres où il est facile de placer une grande quantité de nids, qui permet à cet oiseau de se multiplier dans des proportions incroyables et de former des colonies pouvant réunir 100 à 120 millions d'individus. Dans certains cas, le Quéléa à bec rouge a contraint les paysans à changer de culture, car les récoltes étaient complètement détruites par ce petit granivore meurtrier.

Des cas analogues se rencontrent dans les rizières d'Asie et dans les plantations diverses et même les vergers de l'Inde.

Si l'on compare les biocénoses des régions polaires arctiques à une petite galette et celles des régions tempérées à une grande pizza napolitaine, celles de la forêt humide tropicale correspondraient à un riche et succulent gâteau à cinq étages, tant est haute la répartition verticale des oiseaux dans ce type de végétation. Cette constatation intéressante, due à P. Stud, permet encore de spécifier le nombre des espèces qui vivent dans ces cinq « strates ». À terre vivent près de 18 espèces, essentiellement Tinamidés et Formicariidés ; sur les buissons bas du sous-bois se retrouvent près de 59 espèces, en majorité insectivores, comme les manakins et les Tyrannidés, mais aussi plusieurs espèces d'oiseaux-mouches ; dans la strate intermédiaire, jusqu'à 20 mètres de terre, on trouve des oiseaux très divers (près de 70 espèces) comme les pics, les tangaras, les trogons, les grimpereaux américains et même certaines espèces de rapaces, comme les éperviers. Puis vient la strate des branches et de la voûte des arbres avec diverses espèces de perroquets colorés, de pics, de toucans, de Cotingidés qui se nourrissent de fruits et d'insectes ; enfin, au-dessus de ce merveilleux tapis vert volent presque en permanence les faucons, les aigles et les martinets.

Parades nuptiales en tous genres

L'une des plus originales est sans aucun doute celle qu'utilisent certaines espèces de pics. Pour des raisons qu'il est inutile d'approfondir, mais que nous pensons liées à l'obscurité des forêts dans lesquelles ils vivent, et aussi au fait que leur voix est peu

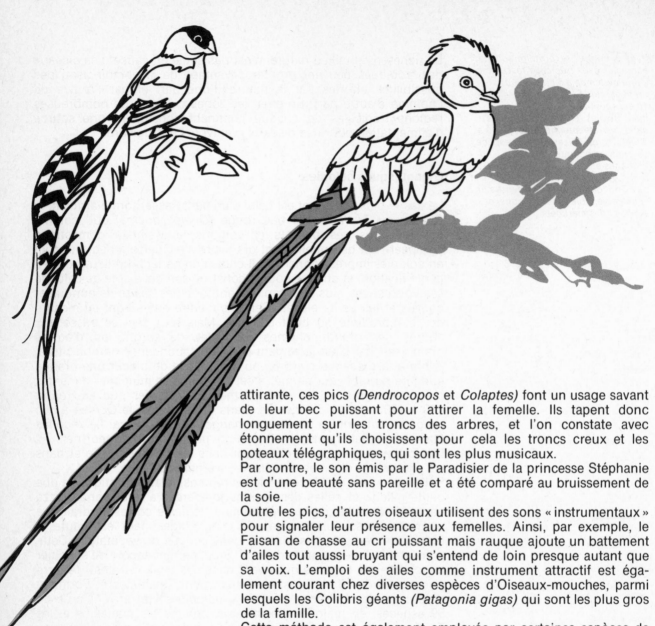

attirante, ces pics *(Dendrocopos* et *Colaptes)* font un usage savant de leur bec puissant pour attirer la femelle. Ils tapent donc longuement sur les troncs des arbres, et l'on constate avec étonnement qu'ils choisissent pour cela les troncs creux et les poteaux télégraphiques, qui sont les plus musicaux.

Par contre, le son émis par le Paradisier de la princesse Stéphanie est d'une beauté sans pareille et a été comparé au bruissement de la soie.

Outre les pics, d'autres oiseaux utilisent des sons « instrumentaux » pour signaler leur présence aux femelles. Ainsi, par exemple, le Faisan de chasse au cri puissant mais rauque ajoute un battement d'ailes tout aussi bruyant qui s'entend de loin presque autant que sa voix. L'emploi des ailes comme instrument attractif est également courant chez diverses espèces d'Oiseaux-mouches, parmi lesquels les Colibris géants *(Patagonia gigas)* qui sont les plus gros de la famille.

Cette méthode est également employée par certaines espèces de Manakins et de Todidés. Les ailes ne sont plus seules utilisées, mais la queue l'est aussi parfois. Bien que cette sorte de son soit produit en particulier par diverses espèces de bécassines, on connaît le cas d'un indicateur qui le fait avec ses rectrices.

L'usage de la queue est réservé en général à ce que l'on appelle la « parade nuptiale », c'est-à-dire à tous les actes mis en œuvre par le mâle pour attirer la femelle. Il s'agit le plus souvent de mouvements ritualisés qui simulent parfois des combats entre mâles, combats qui se soldent très rarement par des blessures, car en général le vaincu prend la fuite. Le mâle doit donc, en plus de son chant, faire preuve de beauté, de puissance ou d'habileté. La tendance à exhiber les vives couleurs des plumes et la forme étrange de la queue et des ailes est particulièrement répandue chez les espèces des régions tropicales.

Il convient de souligner que, dans un grand nombre de cas, les mâles ne prennent leur « plumage de noce » que pour le temps nécessaire à faire leur cour. Ainsi les plumes très longues et

Chez les oiseaux, la façon la plus courante de conquérir une femelle est d'exhiber dans toute leur splendeur les plumes de la queue. C'est la parade nuptiale, sorte de pantomime au cours de laquelle, et seulement alors, les mâles sont recouverts d'une livrée spéciale. Le Quetzal et les veuves africaines agissent ainsi.

encombrantes du mâle des Veuves africaines tombent après l'accouplement. La splendide queue du Quetzal et de beaucoup de Toucans se fripe pendant la période d'élevage des petits, à cause de l'usure provoquée par les allées et venues dans les cavités où se trouve le nid. Le Quetzal et les Toucans ont cependant l'habitude de pénétrer dans leur nid à reculons et la queue repliée sur le dos, ce qui limite les dégâts.

Dans la plupart des cas, la mise en valeur des plumes les plus colorées s'accompagne d'une série de mouvements parfois très compliqués. Les Oiseaux de paradis sont passés maîtres dans cet art. Un autre cas plaisant est celui de divers membres du groupe des tourterelles et des pigeons qui ont un genre de parade que l'on pourrait dire triple. «Roucouler comme une tourterelle» est une expression assez répandue, et c'est la façon de chanter la plus courante chez ces oiseaux. Le mâle, roucoulant ou non, exécute une série de mouvements rythmiques de la queue et du cou qu'il lève et abaisse alternativement, tandis que les plumes de son cou se gonflent faisant ressortir les couleurs souvent irisées de la poitrine.

En règle générale donc, tous les oiseaux qui possèdent des plumes de forme particulière ou de couleur contrastant avec le reste du plumage s'en servent pour effectuer la parade nuptiale, accompagnée souvent d'un chant ou d'attitudes rituelles. D'autres espèces d'oiseaux peuvent faire étalage devant de la femelle, en plus de leurs plumes, d'une portion de peau nue qui se gonfle considérablement jusqu'à ressembler à un gros ballon, rouge écarlate chez la Frégate magnifique. Chez le Céphaloptère, au contraire, cette poche extensible est ornée de plumes et présente une sorte de «petite queue» vers le bas. L'Araponga, de la même famille que le précédent, arbore devant sa femelle trois longs barbillons charnus situés à la base du bec, lequel est grand ouvert pour en montrer l'intérieur coloré. Un festival d'originalité !

Les oiseaux qui restent presque tout le temps en vol, comme les colibris, les martinets et certains faucons, profitent logiquement de

Au lieu de plumes, d'autres espèces exhibent devant la femelle un morceau de peau nue du jabot, qui peut se gonfler comme un ballon. La Frégate magnifique a un jabot rouge écarlate.

leur habileté de voiliers pour attirer la femelle. Ils font donc des évolutions aériennes du plus bel effet.

Constructions artistiques

Malgré tous les artifices dont ils disposent, les oiseaux mâles effectuent des parades et des exhibitions plus ou moins analogues à celles auxquelles se livrent de nombreuses espèces de papillons, de reptiles et même de mammifères devant les femelles. Aucun de ces animaux n'a cependant la fantaisie et la capacité dont font preuve les Oiseaux-jardiniers de Nouvelle-Guinée et d'Australie septentrionale. Il convient avant tout de souligner que les constructions réalisées par les membres de cette famille ne sont pas des nids, mais de véritables habitations dont le seul but est d'attirer la femelle. Les oiseaux du genre *Amblyornis* édifient en effet une sorte de cabane bien plus grande que ce que pourrait être un nid, et l'entourent d'une palissade faite de brindilles ou de fougères patiemment tressées. Le terrain ainsi délimité est recouvert de mousse et même de fleurs multicolores. Assez singulièrement, ces oiseaux font preuve d'un grand individualisme dans le choix de cette décoration : certains prennent des coquilles d'escargots, d'autres de petits os blanchis par le soleil, d'autres encore des bouchons de bouteilles, des petits morceaux de plastique ou de vieux paquets de cigarettes, etc. Chaque oiseau a des goûts précis également en matière de couleur : certains mâles préfèrent le bleu et rassemblent des morceaux de papier de cette teinte, des fleurs aux pétales azurés ; d'autres selon leur préférence vont à la recherche de tous les objets de couleur rouge. L'habileté de ces oiseaux est telle qu'ils réussissent à colorer les parois internes de leur cabane au moyen de substances végétales ou minérales, comme la poudre de charbon.
L'Oiseau à berceau tacheté emploie une technique différente pour édifier sa cabane ; il construit un passage avec une centaine de brindilles fichées verticalement dans le sol. Le long de cette sorte de double « allée », qu'il prolonge même vers l'avant, le mâle dépose un grand nombre de cailloux, d'osselets ou d'ornements du même type. Cet énorme travail terminé, il se met à chanter pour attirer une femelle. Celle-ci sera du reste seule à se préoccuper de la construction du nid proprement dit et de l'élevage des petits.
Il faut admettre que, de leur côté, les Oiseaux-jardiniers sont doués d'une habileté peu commune. Par exemple pour décorer l'intérieur de leur cabane, les membres d'une espèce utilisent souvent un tampon tiré d'un petit morceau d'écorce. C'est l'un des rares cas où un animal se sert d'un instrument.
Le Paon bleu est l'un des nombreux oiseaux dont l'homme s'est inspiré tant pour certaines expressions de langage que pour certaines façons d'être, comme par exemple pour des figures de danses africaines et nord-américaines. Le mâle adulte de ce gros oiseau qui vit dans la jungle de l'Inde, jusqu'à l'Assam et à Ceylan, arbore une traîne véritablement extraordinaire, l'une des plus longues en termes absolus dans le monde des oiseaux. Les plumes de cette traîne, qui ne sont pas les rectrices (la queue proprement dite étant bien plus courte), sont extrêmement longues et possèdent chacune un superbe « œil » irisé. Dans la traîne étalée en éventail, et sur la longueur de chacune des plumes, on observe une disposition parfaite de dizaines de ces ocelles joliment colorés.

Pour faire sa cour à la femelle, le Paon étale donc sa traîne en éventail et avance à pas lents et solennels. En même temps, des vibrations frénétiques secouent les plumes qui ondulent, comme mues par le vent, tandis que s'échappe du bec un cri rauque que l'on ne peut confondre avec aucun autre, et qui s'entend à des centaines de mètres de distance. Si le Paon et sa « roue » sont connus partout, la beauté d'un de ses parents l'est beaucoup moins. Il s'agit de l'Argus, ainsi nommé à cause de l'abondance d'ocelles sur toute sa livrée, ailes comprises. Mais l'Argus habite au plus profond des forêts humides tropicales, dans quelques grandes îles d'Indonésie, et il est pratiquement impossible de le voir. Les individus des deux sexes ne vivent jamais ensemble, sauf pendant la brève période de l'accouplement ; malgré cela le mâle exécute une fantastique parade latérale avec ses plumes les plus voyantes, les étalant en éventail dans une petite clairière de la forêt qu'il s'est empressé de débarrasser de toutes les herbes et feuilles, comme s'il voulait mettre sa beauté en valeur.

La parade nuptiale la plus spectaculaire est celle du Paon. Pour courtiser sa femelle, il ouvre en éventail sa traîne dont chaque plume porte un grand ocelle. Puis il s'avance à pas lents, levant sa traîne jusqu'à faire la roue. En même temps, des vibrations frénétiques le secouent et font onduler les plumes comme sous l'effet du vent.

Les oiseaux de paradis sont de véritables maîtres dans l'art des pantomimes nuptiales. Les mâles choisissent un arbre élevé et peu touffu, volettent de branche en branche, allongent le cou, soulèvent et secouent leurs ailes, lèvent et abaissent la queue, et enfin gonflent et referment les longues plumes latérales. Le Paradisier royal au contraire s'exhibe par des démonstrations acrobatiques, pendu à une liane verticale.

On retrouve un comportement analogue chez diverses espèces d'éperonniers, autres gros Galliformes asiatiques, qui ont eux aussi des plumes ocellées.

Il y a peu de temps encore, les savants pensaient que les oiseaux chantaient pour leur seul plaisir et aussi pour plaire à leur femelle. On a pu constater que par son chant, le mâle délimite son territoire de nidification en éloignant les autres mâles, ou du moins en tentant de le faire.

Il faut souligner que dans la majorité des cas, le rituel est respecté : presque aucun oiseau ne se hasarde à pénétrer dans le territoire d'un congénère. Ce que l'homme appelle chant peut n'être qu'un simple cri rauque et étranglé, comme celui du Paon bleu ou du Faisan de chasse qui n'ont pas grand-chose de musical. Le véritable chant, celui qui comprend une phrase mélodieuse plus ou moins longue et répétée, et qui, dans tous les cas, a toujours un fort accent musical, est la prérogative presque absolue des petits Passériformes. Parmi les oiseaux tropicaux, les meilleurs chanteurs sont sans aucun doute les divers membres de la famille des Sylviidés, des Turdidés et des Mimidés, tandis que presque tous les autres ont des chants fort peu mélodieux.

Une règle presque absolue veut que les meilleurs chanteurs soient des oiseaux peu colorés. Cela parce que le chant sert effectivement aux mâles pour attirer une ou plusieurs femelles dans leur territoire de reproduction. Les mâles qui peuvent étaler une livrée plus ou moins colorée, ou ceux qui ont d'autres vertus à exhiber auprès de la femelle, n'ont pas en général un chant très musical. Dans la jungle tropicale, au milieu des bruissements et des grondements de toutes sortes, des railleries des singes, etc., l'étalage des couleurs du plumage a évidemment eu plus de succès ; cette méthode a trouvé son point culminant dans la parade nuptiale des Oiseaux de paradis, mais elle est tout aussi fascinante chez plusieurs espèces de faisans (par exemple le Paon), chez certains perroquets et même chez les petits bengalis.

Index

Crédits photographiques

Agences/photographes
Aarons, 52. Alzati, 127. *Ardea Photographics :* J. S. Wightman, 40. *Atlas Photo :* J. Klages, 94 ; Larivière, 85 ; Tiofoto, 97. Bower, 62. A. Christiansen, 90/114. *B. Coleman :* 33 ; J. Brownlie, 68/113 ; J. Burton, 80 ; R. K. Murton, 47 ; E. Park, 87 ; G. Pizzey, 37/64/115/118/128 ; S. C. Porter, 56 ; G. Thompson, 107 h. J. Dunning, 78 g. F. Erize, 36/39/49/77/91/107 b/119. J. Fields, 54. *Holmes-Lebel :* 34/59/66 ; Hermes, 83 ; C. P. Warner, 70. G. Holton, 109. *Jacana :* H. Chaumeton, 102/103 ; Devez M. B. G., 50 ; B. Fritz, 84 ; M. Lelo, 60 ; V. Renaud, 99 ; J. Robert, 106 ; J. Solaro, 121 h ; Van Kooles, 100 ; G. Vici, 123 ; A. Visage, 38/41, 58 g/58 d/71 h/76. P. Jackson, 43/44. Russ Kinne, 48/73/74/88/96/105. La Colothèque, 79. B. Losier, 42/46/53/92/116/117/120/121 b. W. Lummer, 72/75/108. J. Markham, 45, page de couverture. *N. H. P. A. :* P. Johnson, 89/95/98. Okapia : 51/55/57/104/122. F. Prenzel, 126. *Rapho :* Zuber, 63. Bill Ratcliffe, 101. A. Rossi, 125. T. Roth, 71 b/86. F. Schwartz, 78 d. J. Six, 93. A. Steiner, 112. Time-Life, 61. *S. Trevor :* A. Denis, 35. J. Warham, 67. *Z. F. A. :* 65/82/110/111 b ; Mohn, 124 ; W. Müller, 81/111 h ; F. Park, 69.

Table des matières

Imprimé en Italie par RIZZOLI ÉDITEUR, MILAN.
Dépôt légal 1978-2ᵉ – N° de Série Éditeur 8750.
Juin 1978 – 18606-6-1978.